ESTATE PUBLICATIONS
Bridewell House,
Tenterden,Kent.
TN30 6EP
Tel:01580 764225

C000125681

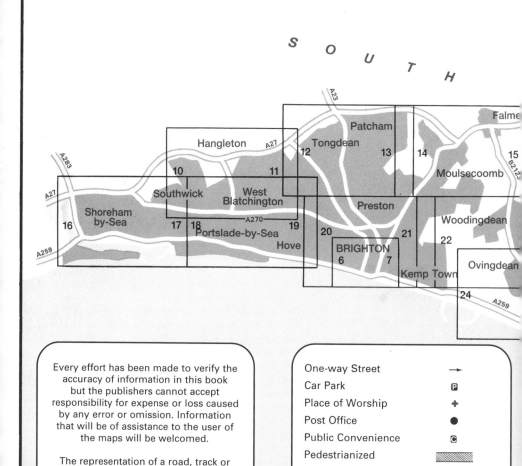

S O U T H

Falme

Hangleton
Patcham
Tongdean
12
13
14
15
A27
A23

10
11
Moulsecoomb

Southwick
West Blatchington
Preston

Shoreham by-Sea
17
18
A270
19
20
21
22
Woodingdean

16
Portslade-by-Sea
Hove
BRIGHTON
6   7
Ovingdean

Kemp Town
24

A283   A27   A259   A259

One-way Street	→
Car Park	🅿
Place of Worship	+
Post Office	●
Public Convenience	Ⓒ
Pedestrianized	▨

Every effort has been made to verify the accuracy of information in this book but the publishers cannot accept responsibility for expense or loss caused by any error or omission. Information that will be of assistance to the user of the maps will be welcomed.

The representation of a road, track or footpath on the maps in this atlas is no evidence of the existence of a right of way.

Scale of street plans: 4 inches to 1 mile
Unless otherwise stated

Street plans prepared and published by ESTATE PUBLICATIONS, Bridewell House, TENTERDEN, KENT, and based upon the ORDNANCE SURVEY mapping with the permission of The Controller of H. M. Stationery Office.

The publishers acknowledge the co-operation of the local authorities of towns represented in this atlas.

BRIGHTON

LEWES   NEWHAVEN   SEAFORD
SHOREHAM   HOVE

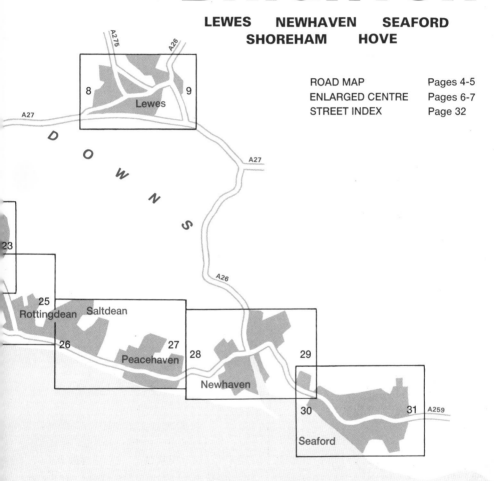

ROAD MAP	Pages 4-5
ENLARGED CENTRE	Pages 6-7
STREET INDEX	Page 32

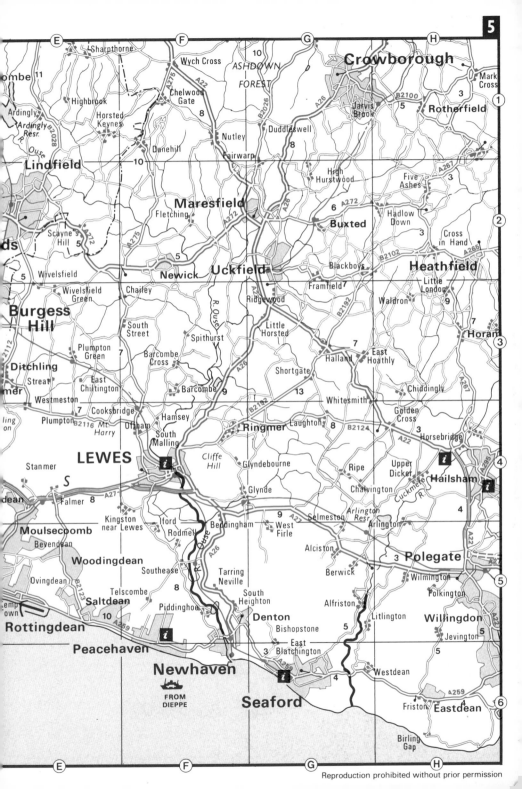

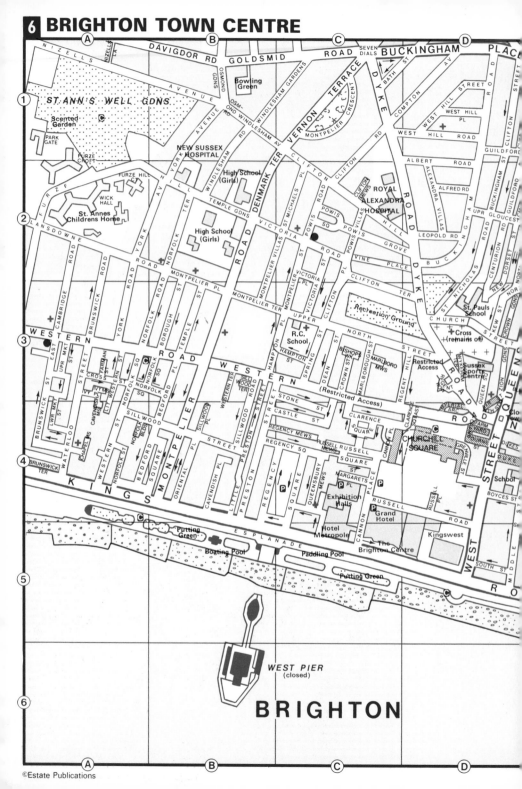

BRIGHTON

WEST PIER
(closed)

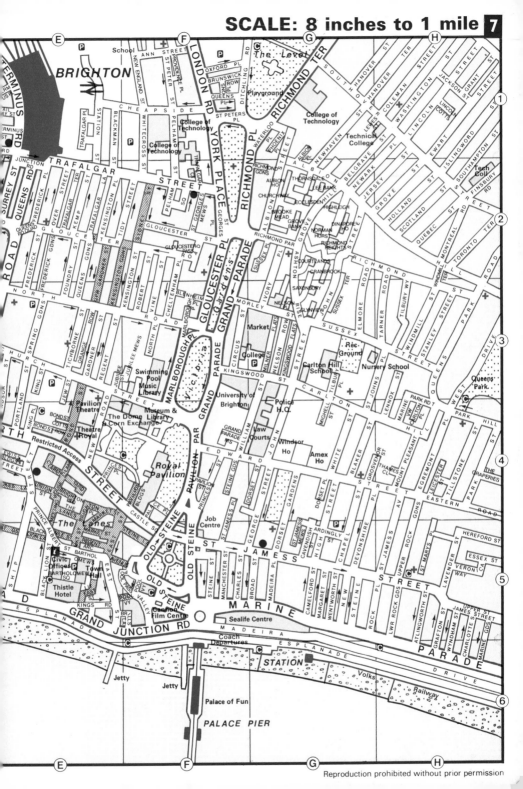

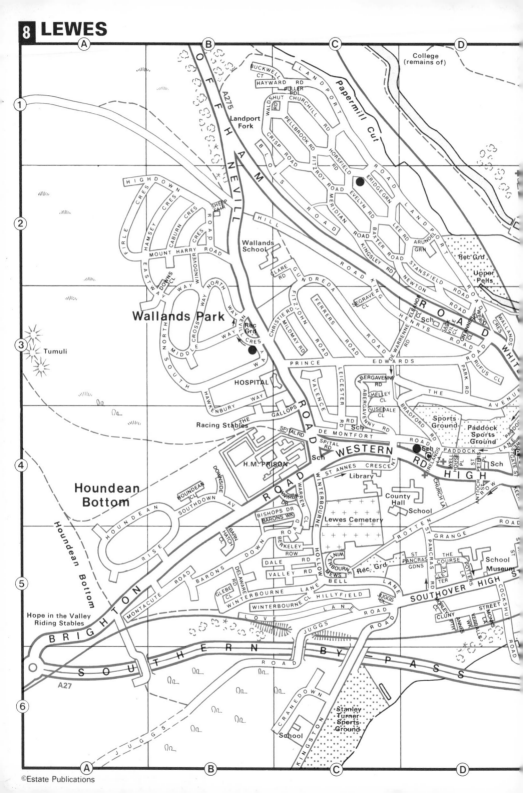

8 LEWES

©Estate Publications

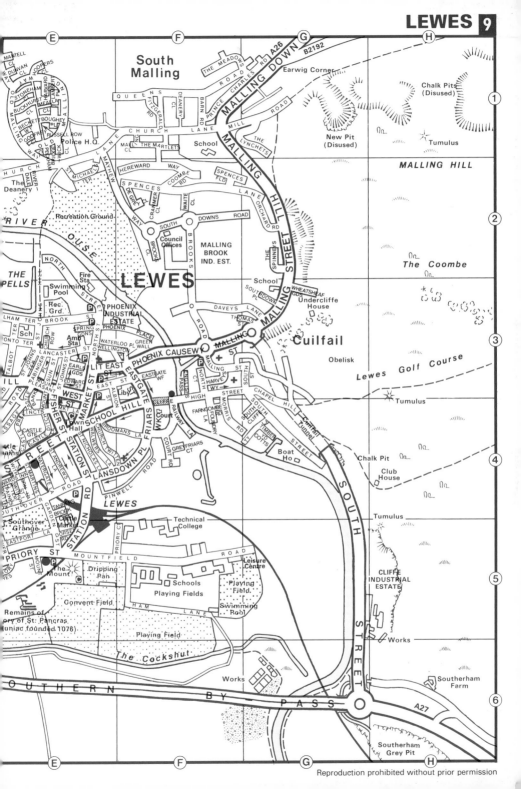

LEWES 9

South Malling

Reproduction prohibited without prior permission

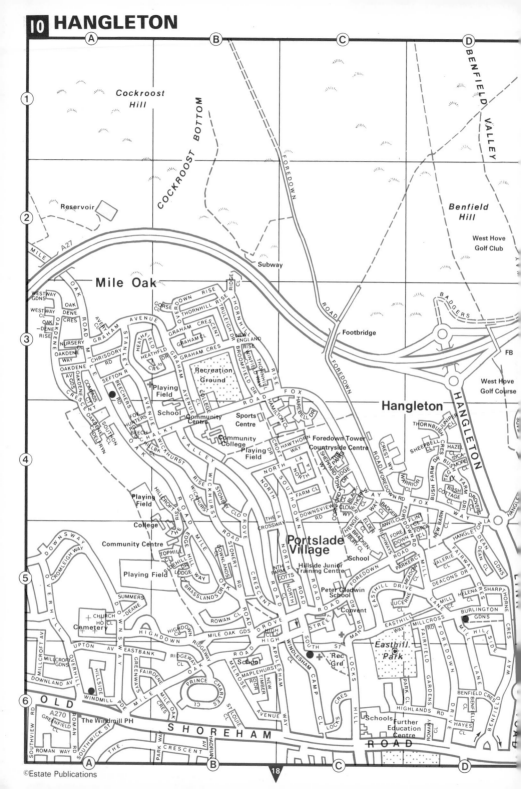

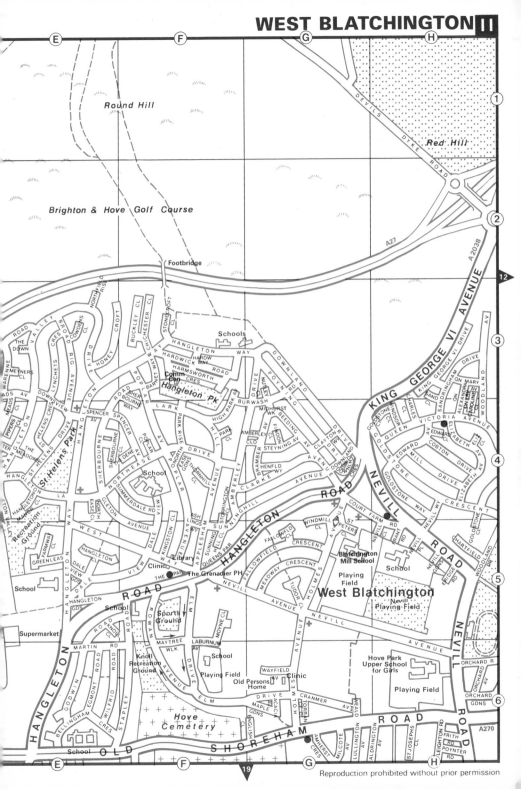

Round Hill

Red Hill

Brighton & Hove Golf Course

Footbridge

A27

A2038

DEVILS DYKE ROAD

KING GEORGE VI AVENUE

KING GEORGE VI DRIVE

Schools

Hangleton Way

HARDWICK ROAD

HARMSWORTH CRES

Comm Cen
Hangleton Pk

DOWNLAND

POYNING

SANDRINGHAM DRIVE

WINDSOR CL

GOLDSTONE

QUEEN

ALEXANDRA AV

CAROLINE AV

MARY AV

WOODLAND AV

CHARLES

VICTORIA AVENUE

EDWARD

ELIZABETH

AROLINE

BAND

SPENCER

SPENCER AV

POPLAR

LARK

HIGH PARK AV

BURWASH

MIDHURST

BEEDING

WK

NULEY

CLAYTON

DRIVE

DOWNLAND CRES

EDWARD

MILL

COBTON

GOLDSTONE WAY

EDWARD DRIVE

ELIZABETH AV

GOLDSTONE CRESCENT

St Helen's Park

SHERBOURNE

THE DENE AV

NORTHEASE

POPLAR

AMBERLEY AV

CLO

FINCH CL

STEYNING AV

BRAMBER

HENFLD WY

AVENUE

DOWNLAND

CRES

NEVILL

NEVILL WY

CHARTFIELD

WOODLAND AV

School

Recreation Ground

FARMWAY CL

GREENLEAS CL

HANGLETON

DALE VIEW CL

HANGLETON GDNS

SUMMERDALE RD

KINGSTON CL

SUNNING

ASH

PARK RISE

POPLAR

THORNHILL CL

CLARKE

LAMBERLY

SUNTINGHILL

HANGLETON ROAD

FALLOWFIELD CL

WINDMILL CL

COURT FARM RD

ST PETERS

ST PETERS

GRANT RD

NEVILL RD

NEVILL

NEVILL

GOLDSTONE

CRESCENT

Blatchington Mill School

School

Playing Field

West Blatchington

Nevill Playing Field

Library

Clinic

THE PAD

The Grenadier PH

QUEENS PARK

APPLESHAM AV

SUNNING HILL AV

NEVILL

FALLOWFIELD

MEADWAY

CRESCENT

TUDOR CL

HOLMES

AVENUE

AVENUE

NEVILL

NEVILL

AVENUE

ORCHARD R

ORCHARD

ORCHARD GDNS

NEVILL ROAD

A270

HANGLETON ROAD

Supermarket

School

School

School

Sports Ground

Knoll Recreation Ground

MAYTREE WLK

LABURNUM AV

MOYNE CL

ELM DRIVE

ROWAN AVENUE

School

Playing Field

Old Persons Home

WAYFIELD AV

Clinic

MAPLE GDNS

ACACIA

ENGLISH

CRANMER AVENUE

WEALD AVENUE

TORRANS

Hove Park Upper School for Girls

Playing Field

MARTIN RD

GODWIN RD

BELLINGHAM CRES

EGMONT RD

WILFRID RD

STAPLEY RD

Hove Cemetery

OLD SHOREHAM ROAD

AMHERST CRES

MILCOTE AV

LULLINGTON AV

ALDRINGTON AV

ST JOSEPHS CL

LEIGHTON RD

FRITH RD

POYNTER RD

NEVILL ROAD

School

©Estate Publications

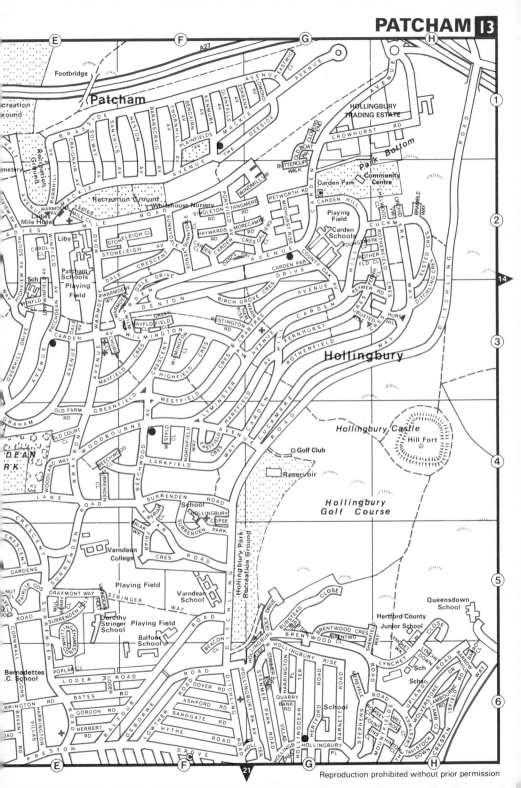

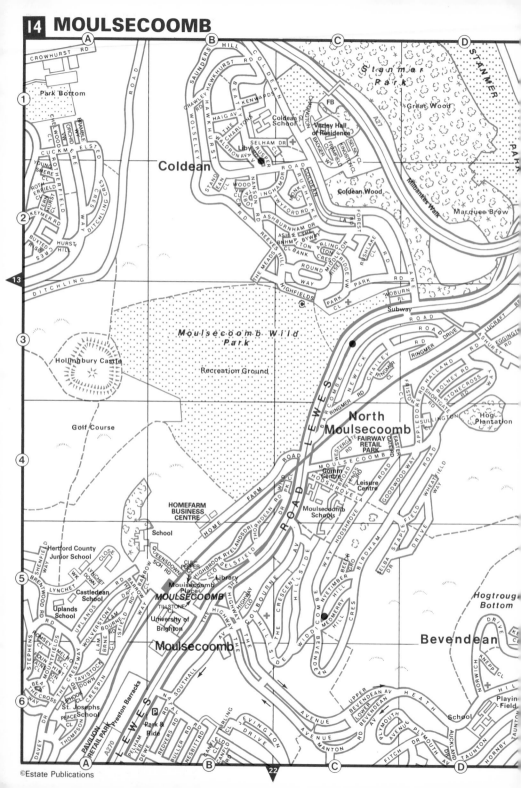

E   F   G   H

Playing Field

RIDGE

UNIVERSITY OF SUSSEX

BOILER HOUSE

ROAD

Russell's Clump

Gardner Centre (Theatre)

BIOLOGY RD

MILL ST

PARK'S MIDDLE ST

ROAD

BRIGHTON

1

FALMER HILL

EAST ST

SOUTH ST

Falmer

2

ROAD

Subway

Station

FALMER

PALMER RD

STATION APP

1 SPORTS CENTRE RD
2 GARDNER CENTRE RD
3 SOUTHERN RING RD
4 NORTH SOUTH RD
5 REFECTORY RD
6 ARTS RD

PARK ST

5TH ST

VILLAGE WAY

Cemetery

THE

WAY

University of Brighton

Southern Water Authority

VILLAGE

2

Falmer School

Playing Field

Westlain Plantation

DROVE

Loose Bottom

3

Westlain Belt

Falmer Hill

4

5

NORWICH

NORWICH CL

BAMFORD CL

DRIVE

BODIAM CL

ROAD

FALMER

6

LEYBOURNE RD

DURHAM ROAD

AVENUE

BODIAM CRES

BODIAM AV

CUCKLAND DR

LUDLOW RISE

WALMER

B2123

BEXHILL RD

E   F   G   H

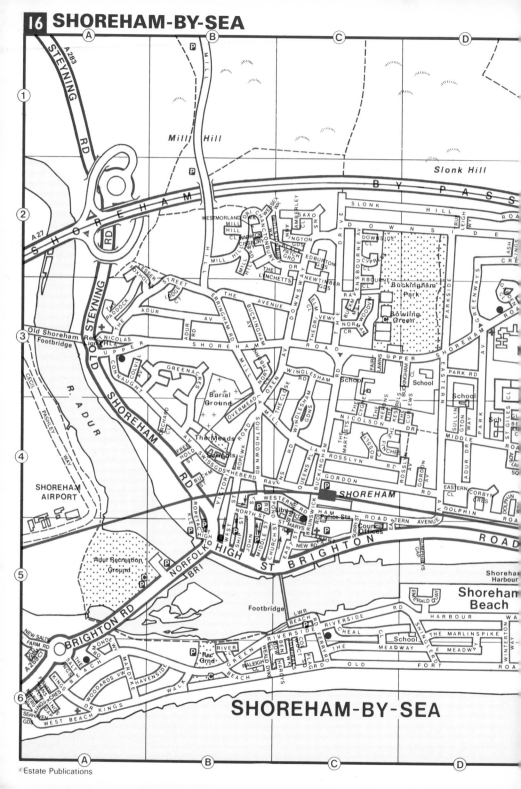

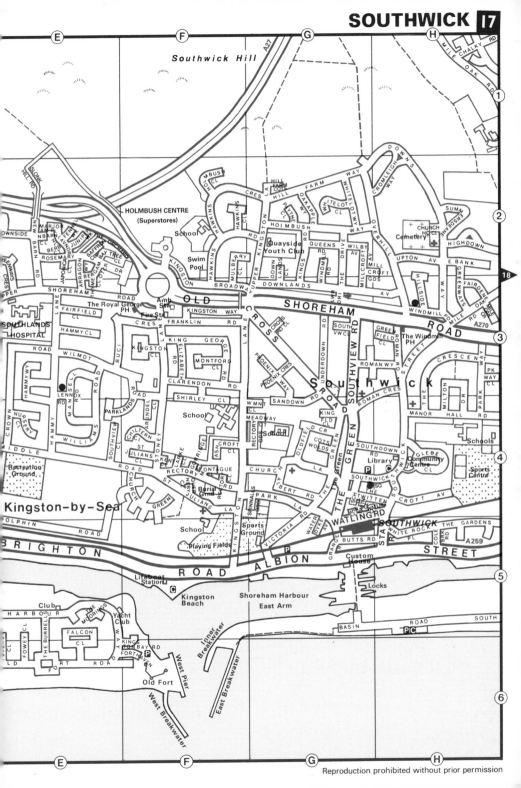

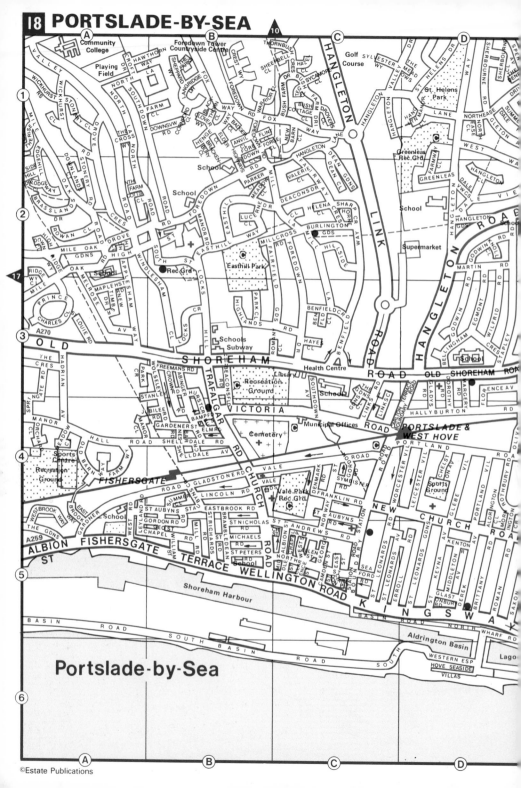

Portslade-by-Sea

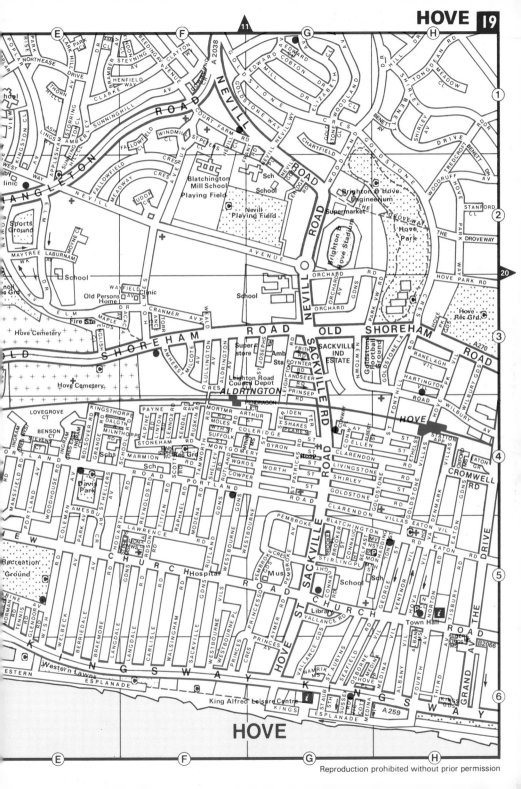

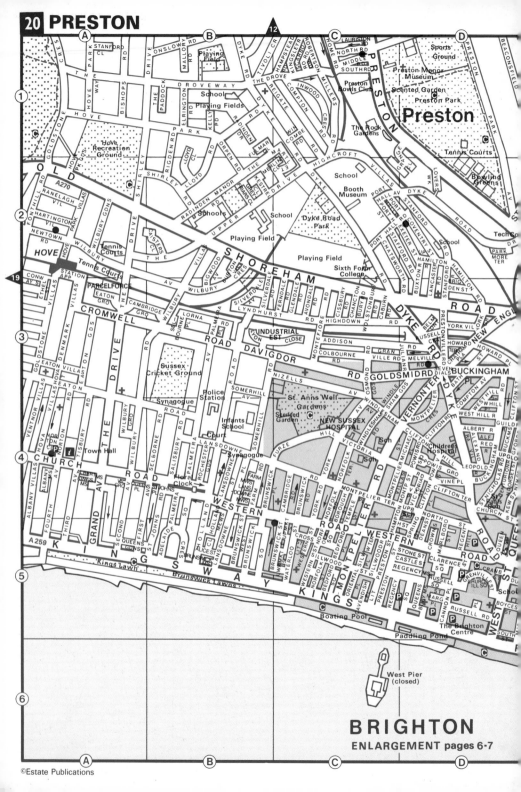

BRIGHTON
ENLARGEMENT pages 6·7

©Estate Publications

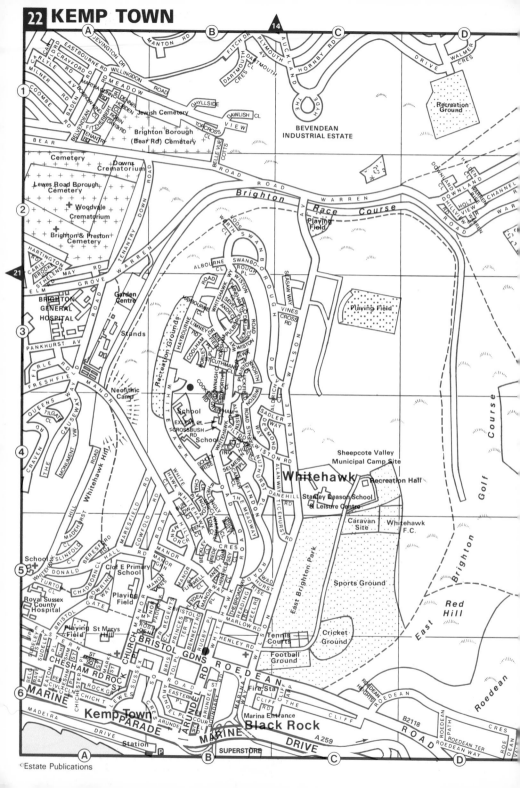

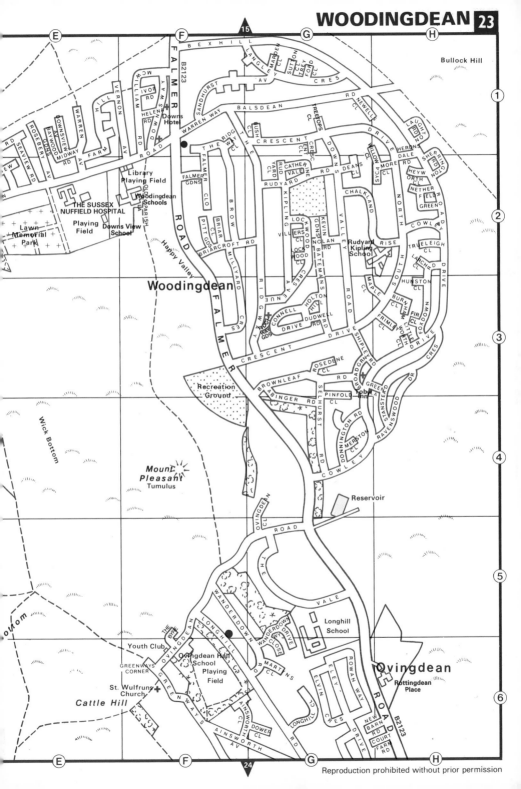

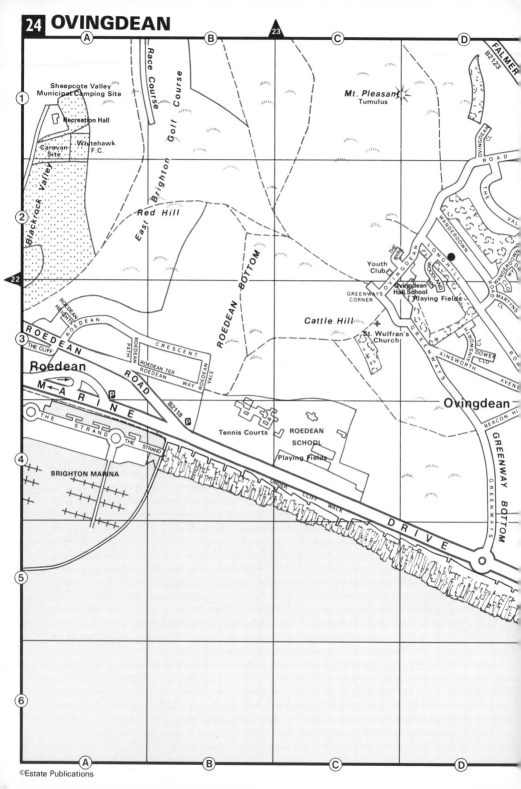

A B C D

FALMER
B2123

1 Sheepcote Valley
Municipal Camping Site
Recreation Hall
Caravan Site
Whitehawk F.C.

Mt. Pleasant
Tumulus

OVINGDEAN CL
ROAD
THE VAL

Race Course

Brighton Golf Course

2 Red Hill
East

WANDERDOWN
LONGHILL
WOODLAND
OVINGDEAN
WANDERDOWN RD
ROAD
CL
MARTYNS

22

Blackrock Valley

ROEDEAN BOTTOM

THE BYSE
Youth Club
Greenways Corner
Ovingdean Hall School
Playing Fields

HILLMORSTANE
AINSWORTH AV
DOWER CLO
ROAD
AVENUE

3 ROEDEAN ROAD
THE CLIFF
ROEDEAN HEIGHTS
ROEDEAN PATH
CRESCENT
ROEDEAN TER
ROEDEAN
ROEDEAN VALE
ROEDEAN WAY

Cattle Hill
St. Wulfran's Church
GREENWAYS

Ovingdean

BEACON HI

Roedean

MARINE

B2118

P

P

Tennis Courts
ROEDEAN SCHOOL
Playing Fields

GREENWAY BOTTOM
GREENWAYS

4 THE STRAND
THE CLIFF
THE STRAND

BRIGHTON MARINA

UNDER CLIFF WALK

DRIVE

5

6

A B C D

Reservoir

Balsdean Farm

High Hill

inghill High School

Rottingdean Place

THE VALE

FALMER ROAD

NEW BARN RD

COURT FARM R

ELVIN CRES

ROWAN WAY

ELEY DRIVE

ELEY CRES

COURT ORD RD

MEADOW CL

MEADOW CL

WILKINSON CL

SHEEP WALK

THE ROTYNGS

Playing Field

Rottingdean Youth Centre Cricket & Football Ground

Beacon Hill

Bowls Green

CHALONERS

CHALONERS MEWS

ROAD

THE GREEN

BAZEHILL ROAD

NORTH GOTE

DYLES CL

GORHAM CL

ENFIELD RISE

GORHAM

DEAN COURT RD

WELESMERE RD

LUSTRELLS RD

ST. DUNSTANS REHABILITATION CENTRE HOSPITAL

School

Windmill

Miniature Golf Course

WHIPPING POST LA

OLD PLACE

NEVILL CRES

PARK RD

THE HIGHWAY

ST AUBYNS MEAD

Hall

Aubyn WEST ST C of E Sch

School Sch

Library & Museum

WHITEWAY LA

VICARAGE LA

STEYNING RD

THE TWITTEN

Rottingdean School

Rottingdean

Playing Field

NEWLANDS RD

CHAILEY

AVENUE

DEAN

CHAILEY AV

KNOLE CL

GRAND CRESCENT

THE PARK

CRESCENT RD

WESTMESTON AV

CHORLEY AV

LINDFIELD CL

LUSTRELLS CL

LUSTRELLS AV

BISHOPSTONE DRIVE

FALMER RD

WIVELSFIELD ROAD

TUMULUS

SAXON RD

CHILTINGTON WAY

EALING

ROAD

WINSTON AV

CRESCENT

Primary School

FOUNTHILL RD

ASHDOWN AV

FOUNTHILL RD

LENHAM RD EAST

LENHAM RD WEST

ROMNEY RD

EILEEN AV

LITTLE CRES

MARINE

ABBOTSBURY CLO

SALTDEAN VALE

SALTDEAN VALE EAST

SALTDEAN PARK RD

BOURNE VALE

GLYNDE AV

TREMOLA AV

WEST DRIVE

WEST DRIVE

WEST DRIVE

CHICHESTER DRIVE

ARUNDEL DRIVE

CHICHESTER DRIVE

ARUNDEL DRIVE

Saltdean Park

Miniature Golf Course

Park & Ride

Library

Lido

MARINE DRIVE

UNDER CLIFF WALK

A 259

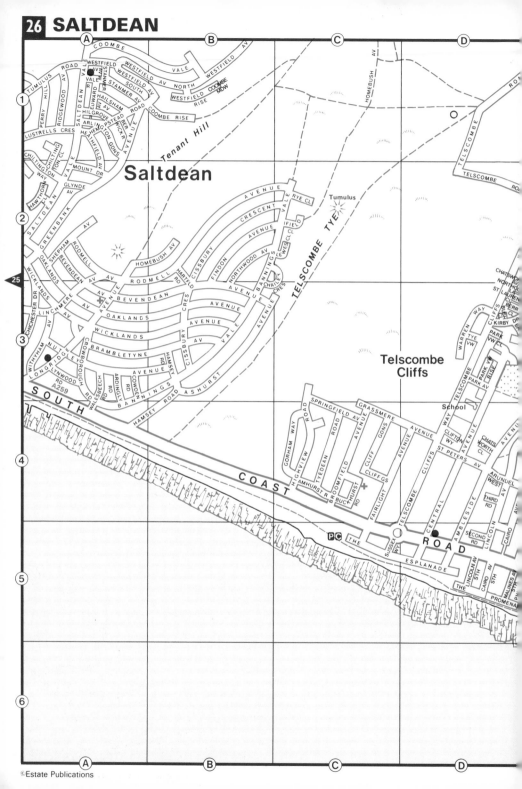

Saltdean

Tenant Hill

Telscombe Cliffs

Telscombe Tye

Tumulus

School

COOMBE
WESTFIELD AV
WESTFIELD VALE NORTH
WESTFIELD AV
WESTFIELD AV SOUTH
VALE
WESTFIELD
HAILSHAM AV
STANMER AV
COOMBE MDW
WICKY AV
EDWARD AV
COOMBE RISE
WESTFIELD RISE
VALE
TUMULUS
PERRY HILL
RIDGEWOOD AV
SALTDEAN ROAD
HILGROVE GDNS
ARLINGTON
HEATHFIELD AV
LUSTRELLS CRES
CHILTINGTON CL
CHILTINGTON VALE
MOUNT DR
GLYNDE AV
HAWTHORN WAY
SALTDEAN VALE
GREENBANK AV
SHEPHAM AV
RODMELL AV
SHEBEVENDEAN AV
OAKLANDS
WICKLANDS AV
CHICHESTER DR
LINCHMERE AV
BEVENDEAN AV
OAKLANDS AV
WICKLANDS AV
BRAMBLETYNE
CROWBOROUGH RD
WALESBEECH
ARDINGLY RD
LYNWOOD RD
WITHYHAM AV
NUTLEY CL
LONGHILL RD
A259

HOMEBUSH AV
RODMELL AV
HARTFIELD RD
CISSBURY CRES
CISSBURY AVENUE
AVENUE
CRESCENT
FINDON AVENUE
NORTHWOOD AV
AVENUE
BANNINGS VALE
LEWES CRES
CHAILEY AV
CRES
HAMSEY ROAD
ASHURST
BANNINGS

RYE CL
VALE
IFIELD
LEWES CL

SOUTH COAST ROAD

GORHAM WAY
HIGHVIEW RD
AMHURST
SPRINGFIELD AV
TYEGEAN RD
BROOMFIELD RD
BUCKHURST RD
FAIRLIGHT
CLIFF GDNS
CLIFFS
GRASSMERE AVENUE
AVENUE
CLIFFS
CLIFTON WY
ST PETERS AV
CENTRAL
TELSCOMBE WAY
AMBLESIDE
LINCOLN AV
CAIRO AV STH
LINCOLN AV STH
MALLINES AV
THE PROMENADE
ESPLANADE
THE SUSSEX WY

WARREN WAY
TYE VW
CLIFFS VW CL
KIRBY
PARK VW CL
PARK VW RISE
CHATSWORTH AV NORTH
ST LAUREN CL
BERR DR
ST PETERS AV
CHATSWORTH CL
ARUNDEL
WEST AV
THIRD RD
SECOND RD
CAIRO AV

TELSCOMBE RO
TELSCOMBE RO

P C
R O A D
C O A S T

25

©Estate Publications

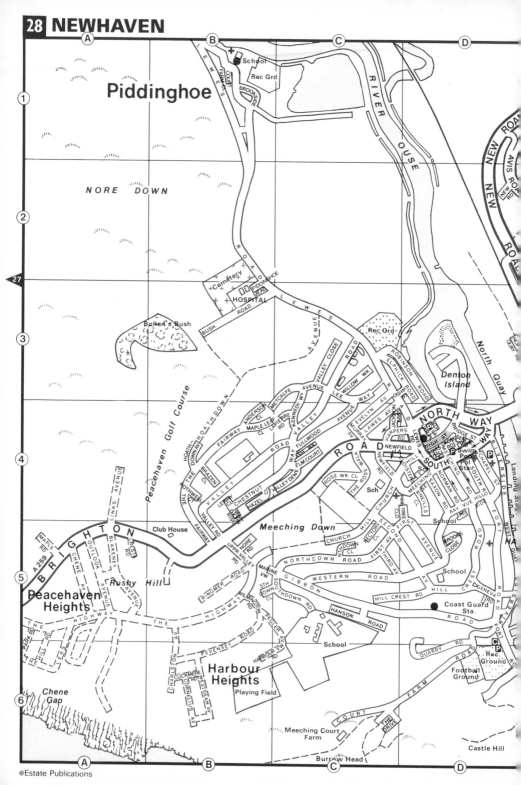

Piddinghoe

NORE DOWN

Bolton's Bush

Peacehaven Golf Course

RIVER OUSE

North Quay

Denton Island

NORTH WAY
SOUTH WAY

Meeching Down

Club House

Rushy Hill

Peacehaven Heights

Harbour Heights

Chene Gap

Playing Field

Coast Guard Sta.

Football Ground

Rec. Ground

Meeching Court Farm

Burrow Head

Castle Hill

SEAFORD

Bishopstone

School
Bishopstone Place
(site of)

Rookery Hill

The
Rookery

SILVER LANE

WHITEWAY HILL
DUCHESS DRIVE
ROYAL
DRIVE
FLINT
CL
CROWN
CHARTWELL
CL
AVENUE
ROAD

FREELAND
CL
HURDIS WINDSOR CL
EDWARD CL
VIKING CL
KING CL
HANOVER CL
HARBOUR VW CL
ROMAN CL
ST ANDREWS
ANTONY CL
NORMAN CL
RD
ROCHFORD WAY
WAY
DRIVE
ROOKERY
DRIVE

BISHOPSTONE

NEW HAVEN
A 259

AVENUE GRAND

GRAND AV
CLEMENTINE
KATHERINE AV
ISABEL WAY
ALEXANDRA CL
PRINCES CLOSE
BEACON DRIVE
FIRLE
FIRLE GRANGE
HOLT
THE
RISE

CHURCHILL ROAD
CAROLINE CL
CLEMENTINE CL
CHARLES CL
VICTOR DRIVE
FIRLE RD
FIRLE ROAD
HOLTERS WAY
ST PETERS RD

HILL RISE
BUCKLE BY-PASS
BARONS
PRINCESS
EARLS CL
DUKES CL
CARLTON RD
CARLTON DR
FIRLE
KIZ
REGENTS CL
PRINCES CLO
ST PETERS ROAD

STATION RD
HAWTH
HAWTH RISE
HAWTH GRD
HAWTH PL
HILL
HAWTH CRES
HAWTH PL
HAWTH
PARK ROAD
HAWTH CL
FRISTON CL
JEVINGTON CL
KINGSWAY
TUDOR CLO
CARLTON CL
TUDOR CL
KINGS RIDE
BEACON ROAD
CARLTON ROAD
WESTDOWN ROAD
KINGSMEAD
BUCKINGHAM CLO
KINGSMEAD CL
KINGSMEAD
KINGSHOW
RD
UPPER
BLATCHINGTON
ROAD
SOMER
HO

BISHOPSTONE
Camping &
Caravan Park

Sunnyside
Caravan Site

Buckle Inn
P H

MARINE PARADE

BUCKLE
BUCKLE DR
DE BUCKLE CLO
SURREY DR
BISHOP'S CL
SURREY
SURREY ROAD
HAWTH CL
KIMBERLEY RD
QUEENS RD
CLAREMONT ROAD
ALBANY RD
CONNAUGHT RD
EDINBURGH RD
BEANE CT
PARK RD
BEACH CL
BELGRAVE
WILMINGTON ROAD
GROSVENOR ROAD
SALISBURY RD
KEDALE RD
PETER RD
CHICHESTER ROAD
BROOKLYN RD
CLAREMONT RD
WILKINSON CL
CHAPEL
WAY
Sch

CLAREMONT RD
STATION APP

SEAFORD BAY

SEAFORD

SEAFORD
Tennis Courts
Salts
Recreation Ground
Bus
Depot
SAINT CRISPIANS
STEYNE ROAD
PELHAM ROAD
WEST ST
DANE RD
DANE CLO
STEYNE
BROAD STREET
CHURCH ST
CHURCH LA
SUTTON PK
SUTTON RD
SUTTON RD LA
CROFT
STREET
SAXON LA
CLINTON PL
Health
Centre
Sch
Pol Sta
ST JOHNS RD
CAUSEWAY
MALLET
CRAVEN
MARINE
THE LOWES
THE BOING DIARY
MARTELLO
COLLEGE ROAD
RINGMER RD

Martello Tower

©Estate Publications

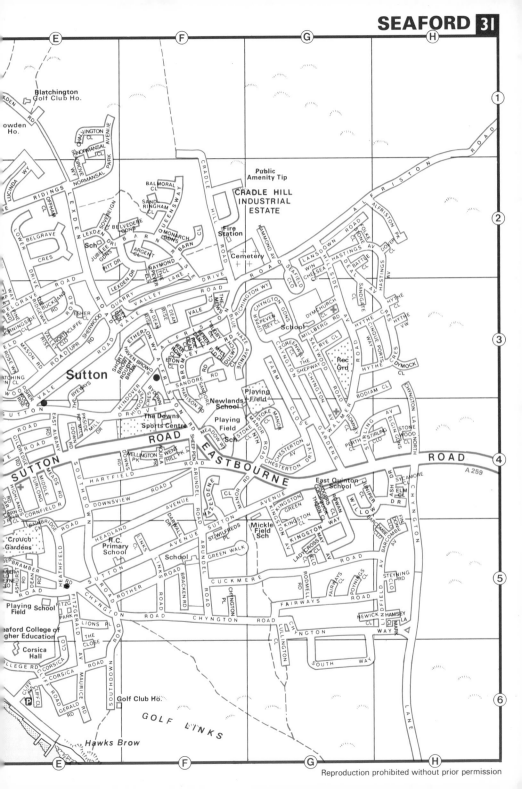

The Index includes some names for which there is insufficient space on the maps. These names are preceded by an * and are followed by the nearest adjoining thoroughfare.

BRIGHTON

Chapel Ter. BN2 21 H6
Charles Clo. BN3 12 A5
Charles St. BN3 7 F5
Charlotte St. BN2 7 H6
Chartfield. BN3 11 H5
Chatham Pl. BN1 20 D3
Chatsworth Av. BN10 26 D2
Chatsworth Clo. BN41 10 B4
Chatsworth Pk. BN10 27 E3
Chatsworth Rd. BN1 20 C2
Cheal Clo. BN43 16 C5
Cheapside. BN1 7 F1
Chelston Av. BN3 18 D4
Cheltenham Pl. BN1 7 F3
Chelwood Clo. BN1 13 H2
Chesham Pl. BN2 21 H6
Chesham Rd. BN2 21 H6
Chesham St. BN2 21 H6
Chester Ter. BN1 21 E1
*Chichester Clo, Chichester
  Dri East. BN2 25 H6
Chichester Clo.BN3 11 F3
Chichester Clo. BN10 27 H5
Chichester Dri E. BN2 25 H6
Chichester Dri W.
  BN2 25 H6
*Chichester Mews,
  Chesham Rd. BN2 21 H6
Chichester Pl. BN2 21 H6
Chichester Ter. BN2 22 A6
Chiddingly Clo. BN2 22 B5
Chiltern Clo. BN43 17 F4
Chiltington Clo. BN2 26 A2
Chiltington Way. BN2 25 H4
Chorley Av. BN2 25 G4
Chrisdory Rd. BN41 10 A3
Church Clo. BN1 13 E3
Church Green. BN43 17 F4
Church Hill. BN1 12 D2
Church Ho Clo. BN42 17 H2
Church La. BN42 17 G4
Church Pl. BN2 22 A6
Church RdBN3 19 G5
Church Rd. BN41 18 B4
Church St. BN1 6 D3
Church St. BN41 18 C5
Church St. BN43 16 B5
Churchill Sq. BN1 6 D4
Churchway. BN2 7 G2
Cinque Foil. BN10 27 F3
Circus St. BN2 7 F3
Cissbury Av. BN1 27 H5
Cissbury Cres. BN2 26 B2
Cissbury Rd. BN3 20 C3
Cissbury Way. BN43 16 B2
Clarence Sq. BN1 6 C4
Clarence Sq East. BN1 6 D4
Clarence St. BN41 18 C5
Clarence Yard. BN1 7 E4
Clarendon Pl. BN2 21 G6
Clarendon P. BN41 18 C5
Clarendon Rd. BN3 19 G4
Clarendon Rd. BN43 17 F3
Clarendon Ter. BN2 21 G6
Clarendon Villas. BN3 19 G4
Clarke Av. BN3 11 G4
Clayton Rd. BN2 21 H3
Clayton Way. BN3 11 G4
Clermont Rd. BN1 12 D6
Clermont Ter. BN1 12 D6
Cleveland Rd. BN1 21 E1
Cliff App. BN2 22 C6
Cliff Av. BN10 27 H6
Cliff Gdns. BN10 26 C4
Cliff Park Clo. BN10 27 H5
Cliff Rd. BN2 22 B6
Clifton Hill. BN1 6 C1
Clifton Mews. BN1 6 C2
Clifton Pl. BN1 6 C3
Clifton Rd. BN1 6 C2
Clifton St.BN1 6 D1
Clifton St Pass. BN1 6 D1
Clifton Ter. BN1 6 C2
Clifton Way. BN10 26 D4
Cliveden Clo. BN1 12 D6
Clover Way. BN41 10 C4
Clovers End. BN1 13 G1
Clyde Rd. BN1 21 E2
Cobden Rd. BN2 21 G3
Cobton Dri. BN3 12 A5
Colbourne Av. BN2 14 B5

Colbourne Rd. BN3 20 C3
Coldean La. BN1 14 B1
Colebrook Rd. BN42 17 H5
Colebrook Rd. BN1 12 C4
Coleman Av. BN3 19 E5
Coleman St. BN2 21 F3
Coleridge St. BN3 19 G4
College Clo. BN41 10 B4
College Gdns. BN2 21 G6
*College Mews,
  College Gdns. BN2 21 G6
College Pl. BN2 21 G6
College Rd. BN2 21 G6
College St. BN2 21 G6
College Ter. BN2 21 G5
Collingwood Clo.
  BN10 27 F3
Collingwood Ct. BN43 16 C5
Colvill Av. BN3 16 A3
Compass Ct. BN41 10 C1
Compton Av. BN1 6 D1
Compton Rd. BN1 20 C1
Coney Furlong. BN10 27 G2
Connaught Av. BN43 16 A3
Connaught Rd. BN3 19 G5
Connaught Ter. BN3 19 G5
Connell Dri. BN2 23 G3
Conway Pl. BN3 19 G4
Conway St. BN3 19 G4
Cooksbridge Rd. BN2 22 B3
Coolham Dri. BN2 22 B3
Coombe Mdw. BN2 26 B1
Coombe Rise. BN2 26 B1
Coombe Rd. BN2 21 G1
Coombe Vale. BN2 26 A1
Copse Hill. BN1 12 C3
Corbyn Cres. BN43 16 D4
Cornford Clo. BN41 10 C4
Cornwall Av. BN10 27 H5
Cornwall Gdns. BN1 13 E5
Coronation St. BN2 21 G3
*Corporatipn Yd,
  Erroll Rd.BN3 18 C5
Cotswolds. BN42 17 G4
County Oak Av. BN1 13 G2
Court Clo. BN1 12 D1
Court Farm Rd. BN2 25 E3
Court Farm Rd. BN3 11 G4
Court Ord Rd. BN2 25 E3
*Courtenay Ter,
  Kingsway. BN3 19 H6
Courtlands. BN2 7 G2
Coventry St. BN1 20 D2
Cowden Rd. BN2 26 A3
Cowdens Clo. BN3 11 E3
Cowfold Rd. BN2 22 A5
Cowley Dri. BN2 23 H2
Cowper St. BN3 19 F4
Crabtree Av. BN1 13 G3
Craignair Av. BN1 13 E1
Cranbourne St. BN1 6 D4
Cranbrook. BN2 7 G2
Cranleigh Av. BN2 25 G5
Cranmer Av. BN3 11 G6
Craven Rd. BN2 21 H4
Crawley Rd. BN1 14 B1
Crayford Rd. BN2 21 H1
Crescent Clo. BN2 23 G1
Crescent Dri Nth. BN2 23 G1
Crescent Dri Sth. BN2 23 G3
Crescent Pl. BN2 21 G6
Crescent Rd. BN2 21 F2
Crespin Way. BN1 14 A6
Crest Way. BN41 10 C4
Cripps Av. BN10 27 F3
Crocks Dean. BN10 27 G2
Croft Av. BN42 17 H4
Croft Dri. BN42 10 B4
Croft Rd. BN1 12 C4
Cromleigh Way. BN42 17 H2
Cromwell Rd. BN3 19 H4
Cromwell St. BN2 21 G3
Cross Rd. BN42 17 G3
Cross Rd Clo. BN42 17 G3
Cross St. BN3 6 A3
Crossbush Rd. BN2 22 B4
Crowborough Rd.
  BN2 26 A3
Crowhurst Rd. BN1 13 G1
Crown Gdns. BN1 6 D3
Crown Rd. BN41 18 B3

Crown Rd. BN43 17 E4
Crown St. BN1 6 C3
Cuckmere Way. BN1 13 H2
Culpepper Clo. BN2 14 B5
Cumberland Dri. BN1 12 D6
Cumberland Rd. BN1 12 D6
Curwen Pl. BN1 12 D5
Cuthbert Rd. BN2 21 G5
Cypress Clo. BN43 16 C2

D'Aubigny Rd. BN2 21 F2
Dale Av. BN1 13 E3
Dale Cres. BN1 13 E2
Dale Dri. BN1 13 F3
Dale View. BN3 11 E5
Dale View Gdns. BN3 11 E5
Dallington Rd. BN3 19 E4
Damon Clo. BN10 27 F5
Danehill Rd. BN2 22 C4
Darcy Dri. BN1 13 F2
Dartmouth Clo. BN2 22 B1
Dartmouth Cres. BN2 22 B1
Davey Dri. BN1 21 F1
Davigdor Rd. BN3 20 B3
Dawlish Clo. BN2 22 B1
Dawson Ter. BN2 21 G4
De Courcel Rd. BN2 22 B6
De Montfort Rd. BN2 21 G3
Deacons Dri. BN41 10 D5
Dean Clo. BN41 10 D5
Dean Clo. BN2 25 F5
Dean Court Rd. BN2 25 F5
Dean Gdns. BN41 10 D5
Dean St. BN1 6 C3
Deans Clo. BN2 23 G2
Deanway. BN3 12 A5
Delfryn. BN41 10 A4
Dene Vale. BN1 12 C3
Deneside. BN1 12 C3
Denmark Rd. BN41 18 C4
Denmark Ter. BN1 6 B2
Denmark Villas. BN3 19 H4
Dennis Hobden Clo.
  BN2 22 A1
Denton Dri. BN1 13 F3
Derek Av. BN3 18 D5
Desmond Way. BN2 26 A5
Devils Dyke Rd. BN3 11 G1
Devonshire Pl. BN2 7 G5
Dewe Rd. BN2 21 G1
Dinapore Ho. BN2 7 G2
Ditchling Cres. BN1 13 H3
Ditchling Gdns. BN1 21 F1
Ditchling Rise. BN1 21 E2
Ditchling Rd. BN1 13 H3
Dolphin Rd. BN43 16 D4
Dolphin Way. BN43 16 D4
Donald Hall Rd. BN2 22 A5
Donnington Rd. BN2 23 G4
Dorothy Av. BN10 27 D6
Dorothy Av Nth. BN10 27 F4
Dorothy Rd. BN3 18 D3
Dorset Gdns. BN2 7 G5
Dorset Pl. BN2 7 G4
Dorset St. BN2 7 G4
Dover Rd. BN1 13 F6
Down Ter. BN2 21 G4
Downash Clo. BN2 22 B3
Downland Av. BN10 27 H5
Downland Clo. BN2 22 D2
Downland Cres. BN3 11 G4
Downland Dri. BN2 11 G4
Downland Rd. BN2 22 D2
Downlands Av. BN42 17 G3
Downlands Clo. BN42 17 G3
Downs Clo. BN41 10 B5
Downs Valley Rd. BN2 23 G1
Downs View. BN10 27 G2
Downs Walk. BN10 27 E3
Downside. BN43 16 C2
Downside. BN3 12 B5
Downside. BN1 12 C3
Downside Clo. BN43 16 C2
Downsview. BN3 11 E3
Downsview Av. BN2 23 E1
Downsview Rd. BN41 10 C4
Downsway. BN43 16 C3
Downsway. BN42 17 H1
Downsway. BN2 23 F1
Draxmont Way. BN2 13 E5

Drove Cres. BN41 10 B5
Drove Rd. BN41 10 B5
Drovers Clo. BN41 10 D4
Dudley Rd. BN1 21 F1
Dudwell Rd. BN2 23 G3
Duke St. BN1 6 D4
Dukes St. BN1 6 D4
Dukes La. BN1 7 E4
Dunster Clo. BN1 21 F1
Durham Clo. BN1 15 E6
Dyke Clo. BN3 12 B4
Dyke Rd. BN1 6 D2
Dyke Rd Av. BN3 12 A4
Dyke Rd Dri. BN1 20 D2
Dyke Rd Pl. BN1 12 C5

East Dri. BN2 21 G5
East Meadway. BN43 16 D6
East St, Brighton. BN1 7 E5
East St, Falmer. BN1 15 G1
East St. BN1 18 C5
East St. BN43 16 C5
Eastbank. BN42 17 H2
Eastbourne Rd. BN2 21 H1
Eastbrook Rd. BN41 18 B4
Eastbrook Way. BN41 18 A4
Eastergate Rd. BN2 14 C4
Eastern Av. BN43 16 D3
Eastern Clo. BN43 16 D4
Eastern Pl. BN2 24 B6
Eastern Rd. BN2 21 F5
Eastern Ter. BN2 21 H6
Eastern Ter Mews.
  BN2 21 H6
Eastfield Cres. BN1 13 F4
Easthill Dri. BN41 10 C5
Easthill Way. BN41 10 C5
Eastwick Clo. BN1 13 G1
Eaton Gdns. BN3 19 H5
Eaton Gro. BN3 19 H4
Eaton Pl. BN2 21 H6
Eaton Rd. BN3 20 A3
Eaton Villas. BN3 19 H5
Ecclesden. BN2 7 G2
Edburton Av. BN1 21 E1
Edburton Gdns. BN43 16 C2
Edge Hill Way. BN41 10 B5
Edinburgh Rd. BN2 21 F2
Edith Av. BN10 27 E5
Edith Av Nth. BN10 27 F4
Edward Av. BN2 25 G6
Edward Av. BN3 12 A5
Edward Clo. BN3 12 A5
Edward St. BN2 7 F4
Effingham Clo. BN2 25 H4
Eggington Clo. BN2 15 E3
Eggington Rd. BN2 14 D3
Egmont Rd. BN3 11 E6
Egremont Pl. BN2 7 H4
Eileen Av. BN2 25 G6
Elder Clo. BN41 10 C4
Elder Pl. BN1 21 E3
Eldred Av. BN1 12 C4
Eley Cres. BN2 25 E3
Eley Dri. BN2 25 E3
Elizabeth Av. BN3 12 A5
Elizabeth Clo. BN3 12 A5
Elizabeth Rd. BN43 17 F3
Ellen St. BN3 19 G4
Ellen St. BN41 18 C5
Elm Clo. BN43 16 C3
Elm Clo. BN2 12 C6
Elm Dri. BN3 11 F5
Elm Gro. BN2 21 F3
Elm Rd. BN41 18 B4
Elmore Rd. BN2 7 G3
Elms Lea Av. BN1 12 D6
Elrington Rd. BN3 20 B1
Elsted Cres. BN1 13 H2
Elvin Cres. BN2 25 E3
Emerald Quay. BN43 16 D5
English Clo. BN3 11 G6
Eridge Rd. BN3 11 H5
Erringham Rd. BN43 16 B3
*Erroll Ct,
  Erroll Rd. BN3 18 C5
*Erroll Mansions,
  Erroll Rd. BN3 18 C5
Eskbank Av. BN1 13 F1
Esplanade. BN3 6 B5

Essex St. BN2 7 H5
Ethel St. BN3 19 H4
Evelyn Ter. BN2 21 G5
Ewart St. BN2 21 F4
Ewhurst Rd. BN2 21 G2
Exeter St. BN1 20 D2
Exleat Clo. BN2 22 B4

Fairdene. BN42 17 H3
Fairfield Clo. BN43 17 E3
Fairfield Gdns. BN41 10 D5
Fairlawns. BN43 16 C3
Fairlie Gdns. BN1 13 E5
Fairlight Av. BN10 26 C4
Fairview Rise. BN1 12 C3
Fairway Cres. BN41 10 D5
Fairway Trading Est.
  BN2 14 C4
Falcon Clo. BN43 17 E5
Fallowfield Clo. BN3 11 G5
Fallowfield Cres. BN3 11 G5
Falmer Av. BN2 25 H4
Falmer Clo. BN2 23 F2
Falmer Gdns. BN2 23 F2
Falmer Hill. BN1 15 F1
Falmer House Rd. BN1 15 F1
Falmer Rd. BN2 23 F1
Farm Clo. BN41 10 C4
Farm Hill. BN2 23 E1
Farm Mews. BN3 20 B4
Farm Rd. BN3 20 B4
Farm Way. BN42 18 A4
Farm Yard. BN1 6 D4
Farman St. BN3 6 A3
Farmway Clo. BN3 11 E5
Fennel Walk. BN43 17 E2
Ferndale Rd. BN3 20 C3
Fernhurst Clo. BN1 13 G3
Fernhurst Cres. BN1 13 G3
Fernwood Rise. BN1 12 C3
Ferry Rd. BN43 16 C5
Feversham Clo. BN43 17 E6
Findon Av. BN2 26 B2
Findon Clo. BN3 11 G4
Findon Rd. BN2 22 B4
Finsbury Rd. BN2 21 F4
Fir Clo. BN2 23 H3
Fircroft Clo. BN1 12 D5
Firle Rd. BN2 21 H4
Firle Rd. BN10 27 E3
First Av. BN3 20 A5
Fishermans Walk.
  BN43 16 A6
Fitch Dri. BN2 22 A1
Fitzherbert Dri. BN2 22 A1
Flag Sq. BN2 16 C6
Fletching Clo. BN2 22 B4
Flimwell Clo. BN2 22 B5
Flint Clo. BN41 10 D4
Florence Av.BN3 18 D3
Florence Pl. BN1 21 F1
Florence Rd. BN1 21 E2
Fonthill Rd. BN3 19 H4
Foredown Clo. BN41 10 C5
Foredown Dri. BN41 10 D5
Foredown Rd. BN41 10 C5
Forest Rd. BN1 14 C2
Foredown Rd. BN1 10 D5
Fort Haven. BN43 17 F6
Foundry St. BN1 7 E3
Fountains Clo. BN1 14 A6
Founthill Av. BN2 26 D5
Founthill Rd. BN2 25 G5
Fourth Av. BN3 19 H6
Fox Hill. BN10 27 E3
Fox Way. BN41 10 D4
Foxdown Rd. BN2 23 H3
Foxhunters Rd. BN41 10 A4
Framfield Clo. BN1 14 C1
Francis St. BN1 21 E3
Franklin Rd. BN2 21 G2
Franklin Rd BN41 18 C4
Franklin Rd. BN43 17 F3
Franklin St. BN2 21 G2
Frant Rd. BN3 11 H5
Frederick Gdns. BN1 7 E2
Frederick Pl. BN1 7 E2
Frederick St. BN1 7 E2
Freehold St. BN43 16 B4
Freehold Ter. BN2 21 F2

Langley Cres. BN2 23 G1
Langridge Dri. BN41 10 C4
Lansdowne Mws. BN3 20 B4
Lansdowne Pl. BN3 20 B5
Lansdowne Rd. BN3 20 B4
Lansdowne St. BN3 20 B4
Larch Clo. BN2 23 H2
Lark Hill. BN3 11 F4
Larke Clo. BN43 17 F4
Larkfield Way. BN1 13 F4
Laughton Rd. BN2 23 H1
Lauriston Rd. BN1 20 C1
Lavender Hill. BN43 17 E2
Lavender St. BN2 7 H5
Lawrence Rd. BN3 19 F5
Lea Rd. BN3 19 F5
Leahurst Ct Rd. BN1 12 D5
Lee Bank. BN2 7 G2
Leicester St. BN2 7 H4
Leicester Villas. BN3 18 D4
Leighton Rd. BN3 19 G3
Lenham Av. BN2 25 G6
Lenham Rd E. BN2 25 G6
Lenham Rd W. BN2 25 G6
Lennox Rd. BN3 19 F4
Lennox Rd. BN43 17 E3
Lennox St. BN2 7 H4
Leopold Rd. BN1 6 D2
Lesser Foxholes. BN43 16 A2
Lewes Clo. BN2 26 C2
Lewes Cres. BN2 22 A6
Lewes Rd, Brighton. BN2 21 F3
Lewes Rd, Moulsecoomb. BN2 14 A6
Lewes St. BN2 7 G1
Lewis's Bldgs. BN1 7 E4
Leybourne Clo. BN2 15 E6
Leybourne Rd. BN2 15 E6
Leyland Rd. BN41 18 A5
Limney Rd. BN2 22 B3
Linchmere Av. BN2 26 A3
Lincoln Av. BN10 26 D5
Lincoln Av Sth. BN10 26 D5
Lincoln Cotts. BN2 7 H1
Lincoln Rd. BN41 18 B4
Lincoln St. BN2 7 H1
Lindfield Clo. BN2 25 G4
Links Clo. BN41 18 C4
Links Rd. BN41 18 C4
Linthouse Clo. BN10 27 G2
Linton Rd. BN3 19 F4
Lion Gdns. BN1 12 C6
Lion Mews. BN3 19 F5
Liphook Clo. BN1 21 G1
Little Crescent. BN2 25 G6
Little East St. BN1 7 E5
Little High St. BN43 16 B5
Little Preston St. BN1 6 B4
Little Western St. BN1 6 A3
Littleworth Clo. BN2 23 H3
Livingstone Rd. BN3 19 G4
Livingstone St. BN2 21 H5
Lloyd Clo. BN3 20 B2
Lloyd Rd. BN3 20 B2
Locks Cres. BN41 10 C6
Locks Hill. BN41 10 C6
Lockwood Clo. BN2 23 G2
Lockwood Cres. BN2 23 G2
Loder Pl. BN1 13 E6
Loder Rd. BN1 13 E6
Lodge Clo. BN41 10 B5
Lodge Ct. BN43 16 B3
Lodsworth Clo. BN2 22 B2
Lomond Av. BN1 13 G1
London Rd. BN1 21 E3
London Rd, Patcham. BN1 12 C1
London Rd, Withdean. BN1 12 D4
London Ter. BN1 21 E3
Longhill Clo. BN2 25 E3
Longhill Rd. BN2 24 D2
Longridge Av. BN2 26 A3
Lorna Rd. BN3 20 B3
Lorne Rd. BN1 21 E3
Lovegrove Ct. BN3 19 E4
Lovers Walk. BN1 20 D2
Lower Beach Rd. BN43 16 C5

Lower Bevendean Av. BN2 14 C6
Lower Chalvington Pl. BN2 22 B4
Lower Dri. BN42 17 G3
Lower Market St. BN3 6 A4
Lower Rock Gdns. BN2 7 H5
Lowther Rd. BN1 13 F6
Loyal Parade. BN1 12 C3
Lucerne Clo. BN41 10 D5
Lucerne Rd. BN1 21 E1
Lucraft Rd. BN2 14 D3
Lulham Clo. BN10 27 E2
Lullington Av. BN3 19 F3
Lustrells Clo. BN2 25 H4
Lustrells Cres. BN2 25 H5
Lustrells Rd. BN2 25 G4
Lustrells Vale. BN2 25 H4
Luther St. BN2 21 G3
Lyminster Av. BN1 13 F4
Lynchet Clo. BN1 13 H6
Lynchet Down. BN1 13 H6
Lynchet Walk. BN1 13 H6
Lynchets Cres. BN1 13 E3
Lyndhurst Rd. BN3 20 B3
Lynton St. BN2 21 G4
Lynwood Rd. BN2 26 A3
Lyon Clo. BN2 20 B3

Mackie Av. BN1 13 E2
McWilliam Rd. BN2 23 F1
Madehurst Clo. BN2 21 H5
Madeira Dri. BN2 7 F5
Madeira Pl. BN2 7 G5
Mafeking Rd. BN2 21 G1
Mainstone Rd. BN3 19 F4
Major Clo. BN1 21 F1
Maldon Rd. BN1 12 C6
Malines Av. BN10 27 E4
Malines Av Sth. BN10 26 D6
Mallory Rd. BN3 12 C6
Malvern St. BN3 19 G5
Manchester St. BN1 7 F5
Manor Clo. BN42 18 A4
Manor Clo. BN2 22 B5
Manor Cres. BN2 22 B5
Manor Dri. BN10 27 E3
Manor Gdns. BN2 22 B5
Manor Grn. BN2 22 B5
Manor Hall Rd. BN42 17 H4
Manor Hill. BN2 21 H4
Manor Paddock. BN2 22 B5
Manor Pl. BN2 22 B5
Manor Rd. BN2 22 B5
Manor Rd. BN41 10 C5
Manor Way. BN2 22 B5
Mansell Rd. BN43 17 E4
Mansfield Rd. BN3 19 E4
Manton Rd. BN2 14 C6
Maple Clo. BN2 23 H3
Maple Gdns. BN3 11 G6
Maplehurst Rd. BN41 10 B6
Marden Clo. BN2 23 G1
Mardyke. BN43 16 A6
Maresfield Rd. BN2 22 A5
Margaret St. BN2 7 G5
Margery Rd. BN3 18 D3
Marina Way. BN2 7 H4
Marine Av. BN3 19 E5
Marine Clo. BN2 25 G6
Marine Dri. BN2 22 B6
Marine Gdns. BN2 7 H6
Marine Parade. BN2 7 F5
Marine Sq. BN2 21 G6
Marine Terrace Mews. BN2 21 G6
Marine View. BN2 7 H4
Mariners Clo. BN43 16 A6
Marjoram Pl. BN41 17 E2
Market St. BN1 7 E5
Marlborough Mews. BN2 6 C3
Marlborough Pl. BN1 7 F3
Marlborough St. BN1 6 C3
Marlow Rd. BN2 22 B5
Marmion Rd. BN3 19 F4
Marshalls Row. BN1 21 E3
Martha Gunn Rd. BN2 22 A1
Martin Rd. BN3 11 E6
Martyns Clo. BN2 24 D3
Matlock Rd. BN1 12 C6

May Rd. BN2 21 H3
Mayfield Av. BN10 27 G6
Mayfield Clo. BN1 13 F3
Mayfield Cres. BN1 13 E3
Mayflower Sq. BN1 21 E3
Mayo Rd. BN2 21 F2
Maytree Walk. BN1 11 F6
Meadow Clo. BN41 10 D5
Meadow Clo. BN2 25 E4
Meadow Clo. BN41 18 A4
Meadow Clo. BN3 12 B5
Meadow View. BN2 22 A1
Meads Av. BN3 11 E3
Meads Clo. BN3 11 E4
Meadway Ct. BN42 17 G4
Meadway Cres. BN3 11 G5
Medina Pl. BN3 19 G6
Medina Ter. BN3 19 G6
Medina Villas. BN3 19 H6
Medmerry Hill. BN2 14 C5
Meeting Ho La. BN1 7 E4
Melbourne St. BN2 21 G2
Melrose Av. BN41 10 B6
Melrose Clo. BN1 14 A6
Melville Rd. BN3 20 D3
Merevale. BN1 13 G6
Meridian Way. BN10 27 E4
Merlin Clo. BN3 20 C2
Merston Clo. BN2 23 G4
Meyners Clo. BN3 11 E3
Middle Rd. BN1 20 C1
Middle Rd. BN43 16 D4
Middle St, Brighton BN1 6 D5
Middle St, Falmer. BN1 15 G1
Middle St. BN1 18 C5
Middle St. BN43 16 B5
Middleton Av. BN3 18 D5
Middleton Rise. BN1 14 C2
Midhurst Rise. BN1 13 G2
Midhurst Walk. BN3 11 G4
Midway Rd. BN2 23 E2
Mighell St. BN2 7 G4
Milcote Av. BN3 19 F3
Mile Oak Cres. BN42 17 H3
Mile Oak Gdns. BN41 10 B5
Mile Oak Rd. BN41 10 A2
Mill Clo. BN41 10 D5
Mill Dri. BN3 12 A5
Mill Hill. BN43 16 B1
Mill Hill Clo. BN43 16 B2
Mill Hill Dri. BN43 16 B2
Mill Hill Gdns. BN43 16 B2
Mill La. BN1 10 D5
Mill La. BN43 16 D5
Mill Rise. BN1 12 B3
Mill Road. BN1 18 B5
Mill Road. BN1 12 A3
Mill St. BN1 15 G1
Millcott. BN1 12 B3
Millcroft. BN42 17 G2
Millcroft Gdns. BN42 17 G2
Millcross Rd. BN41 10 D5
Millers Rd. BN1 20 C1
*Millfield Cotts, Sudeley Pl. BN2 21 H6
Millyard Cres. BN2 23 F2
Milner Flats. BN2 7 G3
Milner Rd. BN2 21 G1
Milnthorpe Rd. BN3 19 E4
Milton Dri. BN42 17 H4
Milton Rd. BN2 21 F3
Mitchell Dean. BN10 27 E3
Modena Rd. BN3 19 F5
Molesworth St. BN3 19 F4
Monk Clo. BN1 14 C2
Monmouth St. BN3 19 G5
Montague Clo. BN43 17 F4
Montague Pl. BN2 21 G6
Montague St. BN2 21 G6
Montefiore Rd. BN3 20 C3
Montford Clo. BN43 17 F3
Montgomery St. BN3 19 F4
Montpelier Cres. BN1 6 C1
Montpelier Pl. BN1 6 B2
Montpelier Rd. BN1 6 B4
Montpelier St. BN1 6 C3
Montpelier Ter. BN1 6 B3
Montpelier Villas. BN1 6 B3
Montreal Rd. BN2 7 H2

Monument Vw. BN2 21 H4
Morecambe Rd. BN1 13 F2
Morestead. BN10 27 G2
Morley St. BN2 7 F3
Mornington Cres. BN3 18 D5
Mortimer Rd. BN3 19 F4
Moulsecoomb Way. BN2 14 C4
Mount Caburn Cres. BN10 27 F2
Mount Dri. BN2 26 A2
Mount Pleasant. BN2 7 H4
Mountfields. BN1 14 A6
Moyne Clo. BN3 11 F5
Mulberry Clo. BN1 13 E5
Mulberry Clo. BN43 17 F2
Namrick Mews. BN3 19 G6
Nanson Rd. BN1 14 B2
Natal Rd. BN2 21 G1
Nelson Pl. BN2 7 G3
Nelson Row. BN2 7 G3
Nesbitt Rd. BN2 21 H1
Netherfield Grn. BN2 23 H2
Nevill Av. BN41 11 F5
Nevill Clo. BN3 11 H5
Nevill Cres. BN41 11 H5
Nevill Gdns. BN41 11 H5
Nevill Pl. BN3 11 H5
Nevill Rd. BN3 19 F1
Nevill Rd. BN2 25 E5
Nevill Way. BN3 11 H5
Neville Rd. BN10 27 G6
New Barn Clo. BN41 10 D4
New Barn Clo. BN43 17 E2
New Barn Clo. BN2 25 E3
New Barn Rd. BN43 17 E2
New Church Rd. BN3 18 C4
New Dorset St. BN1 6 D3
New England Rise. BN41 10 B3
New England Rd. BN1 20 D3
New England St. BN1 7 F1
New Rd. BN1 7 E4
New Rd. BN43 16 C5
New Salts Farm Rd. BN43 16 A6
New Steine. BN2 7 G5
New Timber Dri. BN41 10 B6
Newark Pl. BN2 7 G5
Newells Clo. BN2 23 G1
Newhaven St. BN2 7 G1
Newick Rd. BN1 14 C3
Newlands Rd. BN2 25 F5
Newmarket Rd. BN2 21 G2
Newport St. BN2 21 F3
Newtimber Gdns. BN43 16 C2
Newton Rd. BN10 27 F4
Newtown Rd. BN3 19 G3
Nicolson Dri. BN43 16 C4
Nile St. BN1 7 E5
Ninfield Pl. BN2 22 B3
Nizells Av. BN3 20 C3
Nizells La. BN1 6 A1
Nolan Rd. BN2 23 G2
Norfolk Bri. BN3 16 B5
Norfolk Bldgs. BN1 6 A4
Norfolk Rd. BN1 6 A3
Norfolk Sq. BN1 6 A3
Norfolk St. BN1 6 A4
Norfolk Ter. BN1 6 B2
Norman Cres. BN43 16 C3
Norman Rd. BN3 19 E5
Normanhurst. BN2 7 G2
Normanton St. BN2 21 G3
North Clo. BN41 10 C5
North Dri. BN2 21 G4
North Farm Cotts. BN41 10 C5
North Gdns. BN1 6 D2
North La. BN41 10 B4
North Pl. BN1 7 F3
North Rd. BN1 7 E3
North Rd. BN41 10 C5
North Rd. BN2 20 C1
North South Rd. BN1 15 F1
North St. BN1 6 D4
North St. BN41 18 C5
North St. BN43 16 B4
Northborne Clo. BN43 16 B3

Northcote La. BN10 26 D3
Northease Clo. BN3 11 E4
Northease Dri. BN3 11 E4
Northease Gdns. BN3 11 F4
Northfield Rise. BN3 11 E3
Northfield Rise. BN2 25 F4
Northfield Way. BN1 13 F4
Northgate Clo. BN2 25 F4
Northwood Av. BN2 26 B2
Norton Clo. BN3 19 H5
Norton Rd. BN3 19 H5
Norway St. BN41 18 C4
Norwich Clo. BN2 15 E6
Norwich Dri. BN2 14 D6
Nursery Clo. BN41 10 A3
Nursery Clo. BN43 17 E4
Nuthurst Clo. BN2 22 B4
Nuthurst Pl. BN2 22 B4
Nutley Av. BN2 26 A3
Nutley Clo. BN3 11 G3
Nyetimber Hill. BN2 14 C5
Oak Clo. BN42 12 D5
Oakapple Way. BN42 17 G2
Oakdene Av. BN41 10 A3
Oakdene Clo. BN41 10 A4
Oakdene Cres. BN41 10 A3
Oakdene Gdns. BN41 10 A3
Oakdene Rise. BN41 10 A3
Oakdene Way. BN41 10 A3
Oaklands Av. BN2 26 A2
Old Barn Way. BN42 18 A4
Old Boat Walk. BN1 13 G1
Old Court Clo. BN1 13 E4
Old Farm Ct. BN43 16 A6
Old Farm Rd. BN1 13 E4
Old Fort Rd. BN43 16 C6
Old London Rd. BN1 12 D2
Old Mill Clo. BN1 12 D3
Old Parish La. BN2 23 F2
Old Patcham Mews. BN1 12 D2
Old Place Mews. BN2 25 F5
Old Shoreham Rd, Shoreham. BN43 16 A3
Old Shoreham Rd, Southwick. BN43 17 F3
Old Steine. BN1 7 F5
Oldfield Cres. BN42 17 G4
Olive Rd. BN3 18 D4
Olivier Clo. BN2 21 G5
Onslow Rd. BN3 20 B1
Orange Row. BN1 7 E3
Orchard Av. BN3 19 G3
Orchard Clo. BN43 16 B4
Orchard Clo. BN2 18 A4
Orchard Gdns. BN3 19 G3
Orchard Rd. BN3 19 G3
Orchid View. BN1 13 H2
Oriental Pl. BN1 6 B4
Ormonde Way. BN43 16 A6
Orpen Rd. BN3 20 B1
Osborne Rd. BN1 13 F6
Osborne Villas. BN3 19 G6
Osmond Gdns. BN3 20 C3
Osmond Rd. BN1 6 B1
Oval Clo. BN10 27 F2
Over St. BN1 7 E2
Overdown Rise. BN41 10 B3
Overhill. BN2 17 H2
Overhill Dri. BN1 13 E3
Overhill Gdns. BN1 12 D4
Overhill Way. BN1 13 E2
Overmead. BN43 16 B4
Ovingdean Clo. BN2 24 D1
Ovingdean Rd. BN2 24 C3
Oxen Av. BN43 16 B3
Oxford Mews. BN3 19 H4
Oxford Pl. BN1 7 F1
Oxford St. BN1 21 E3
Palace Pl. BN1 7 F4
Palmeira Av. BN3 20 B4
Palmeira Pl. BN3 20 B3
Palmeira Sq. BN3 20 B4
Pankhurst Av. BN2 21 G4
Parham Clo. BN2 21 H5
Park Av. BN3 19 E5
Park Av. BN43 16 D4
Park Av. BN10 26 D3
Park Clo. BN1 14 C3

Park Clo. BN3 11 F4
Park Clo. BN41 10 D6
*Park Cres,
Park Cres Ter. BN2 21 F3
Park Cres. BN41 18 A3
Park Cres. BN2 25 F5
Park Cres Pl. BN2 21 F3
Park Cres Rd. BN2 21 F3
Park Cres Ter. BN2 21 F3
Park Gate. BN1 6 A1
Park Hill. BN2 21 F5
Park La. BN42 17 G4
Park Rise. BN3 11 F4
Park Rd. BN1 14 C2
Park Rd. BN2 25 F5
Park Rd. BN43 16 D3
Park Rd Ter. BN2 7 H3
Park St. BN2 21 F5
Park St North. BN1 15 G1
Park St South. BN1 15 G1
Park View Clo. BN10 26 D3
Park View Rise. BN10 26 D3
Park View Rd. BN3 19 H3
Park Way. BN42 17 H4
Park Way Clo. BN42 17 H3
Parker Ct. BN41 10 C5
Parklands. BN43 17 E4
Parkmore Ter. BN1 20 D2
*Parnell Ct,
Medina Pl. BN3 19 G6
Parkside. BN43 16 D3
Paston Pl. BN2 21 H6
Patcham By-Pass.
BN1 12 D2
Patchdean. BN1 13 E3
Pavilion Bldgs. BN1 7 F4
Pavilion Par. BN2 7 F4
Pavilion St. BN2 7 F4
Payne Av. BN3 19 F4
Paythorne Clo. BN42 17 G2
Peace Clo. BN1 21 G1
Peacock La. BN1 12 D4
Peel Rd. BN2 22 B5
Pelham Clo. BN10 27 G3
Pelham Rise. BN10 27 F3
Pelham Sq. BN1 7 F2
Pelham St. BN1 7 F1
Pelham Ter. BN2 14 A6
Pembroke Av. BN3 19 G5
Pembroke Cres. BN3 19 G5
Pembroke Gdns. BN3 19 G5
Pendragon Ct. BN3 19 G4
Penhurst Pl. BN2 22 B4
Percival Ter. BN2 21 H6
Perry Hill. BN2 26 A1
Pett Clo. BN2 22 B3
Petworth Rd. BN1 13 G2
Pevensey Rd. BN2 21 G2
Phoenix Cres. BN42 17 G3
Phoenix Pl. BN2 7 G1
Phoenix Way BN42 17 G3
Phyllis Av. BN10 27 E5
Picton St. BN2 21 G3
Piddinghoe Av. BN10 27 G6
Piddinghoe Clo. BN10 27 G5
Piltdown Rd. BN2 22 B4
Pinfold Clo. BN2 23 G3
Pipers Clo. BN3 11 E4
Pitt Gdns. BN2 23 F2
Plainfields Av. BN1 13 F1
Plaistow Clo. BN2 22 B3
Pleyden Clo. BN2 22 B5
Plumpton Rd. BN2 21 G4
Plymouth Av. BN2 14 C6
Pond Rd. BN43 16 B4
Pool Pass. BN1 7 F5
Pool Valley. BN1 7 F5
Popes Folly. BN2 21 G2
Poplar Av. BN3 11 F3
Poplar Clo. BN3 11 F4
Poplar Clo. BN1 13 E6
Port Hall Av. BN1 20 C2
Port Hall Pl. BN1 20 C2
Port Hall Rd. BN1 20 C2
Port Hall St. BN1 20 C2
Portfield Av. BN1 13 F2
Portland Av. BN3 19 E5
Portland Pl. BN2 21 G6
Portland Rd. BN3 18 D4
Portland St. BN1 7 E4
Portland Villas. BN3 18 D4
Powis Gro. BN1 6 C2
Powis Rd. BN1 6 C2
Powis Sq. BN1 6 C2
Powis Villas. BN1 6 C2
Poyning Dri. BN3 11 G3
Poynter Rd. BN3 19 G3
Preston Circus. BN1 21 E3
Preston Drove. BN1 13 E6
Preston Park Av. BN1 20 D1
Preston Rd. BN1 20 C1
Preston St. BN1 6 B4
Prestonville Rd. BN1 20 D3
Prince Albert St. BN1 7 E4
Prince Charles Clo.
BN42 10 B6
Prince Regents Clo.
BN2 22 B5
Princes Av. BN3 19 G6
Princes Cres. BN2 21 F2
Princes Cres. BN3 19 F6
Princes Pl. BN1 7 E4
Princes Rd. BN2 21 F2
Princes Sq. BN3 19 G5
Princes St. BN2 7 F4
Princes Ter. BN2 22 B5
Prinsep Rd. BN3 19 G3
Providence Pl. BN1 21 E3
Pulborough Clo. BN2 22 B3

Quarry Bank Rd. BN1 13 G6
Quebec St. BN2 7 H2
Queen Alexandra Av.
BN3 12 A5
Queen Caroline Clo.
BN3 11 H4
Queen Mary Av. BN3 12 A5
Queen Sq. BN1 6 D3
Queen Victoria Av.
BN3 12 A5
Queens Gdns. BN1 7 E3
Queens Gdns. BN3 20 A5
Queens Parade. BN3 11 F5
Queens Park Rise.
BN2 21 G4
Queens Park Rd. BN2 21 F5
Queens Park Ter. BN2 21 G4
Queens Pl. BN1 7 F1
Queens Pl. BN3 20 A4
Queens Pl. BN43 16 C4
Queens Rd Quad. BN1 7 E2
Queens Rd,
Brighton. BN1 6 D3
Queens Rd. BN42 17 G2
Queensbury Mws. BN1 6 C4
Queensdown
School Rd. BN2 14 B5
Queensway. BN2 21 H4
Quernby Clo. BN43 17 F4

Radinden Dri. BN3 20 B1
Radinden Manor Rd.
BN3 20 B2
Railway St. BN1 7 E1
Raleigh Clo. BN43 16 B6
Ranelagh Villas. BN3 19 H3
Raphael Rd. BN3 19 F5
Ravens Rd. BN43 16 B4
Ravensbourne Av.
BN43 16 C3
Ravensbourne Clo.
BN43 16 C3
Ravenswood Dri. BN2 23 H4
Rayford Clo. BN10 27 F5
Reading Rd. BN2 22 B5
Rectory Clo. BN43 17 F4
Rectory Gdns. BN43 17 G4
Rectory Rd. BN43 17 F4
Redhill Clo. BN1 12 B4
Redhill Dri. BN1 12 B4
Redvers Rd. BN2 21 G1
Reeves Hill. BN1 14 B2
Refectory Rd. BN1 15 F1
Regency Mews. BN1 6 C4
Regency Sq. BN1 6 C4
Regent Arc. BN1 7 E5
Regent Hill. BN1 6 C3
Regent Row. BN1 6 D3
Regent St. BN1 7 E3
Reigate Rd. BN1 20 C1
Reynolds Rd. BN3 19 F5
Richardson Rd. BN3 19 F5
Richmond Gdns. BN2 7 G2
Richmond Hts. BN2 7 G2
Richmond Par. BN2 7 G2
Richmond Pl. BN2 7 F2
Richmond Rd. BN2 21 F2
Richmond St. BN2 7 G2
Richmond Ter. BN2 7 G1
Ridge Clo. BN41 10 B3
Ridge Rd. BN1 15 G1
Ridge Vw. BN1 14 C2
Ridgeside Av. BN1 12 D3
Ridgeway. BN41 10 B6
Ridgeway Clo. BN41 10 B6
Ridgewood Av. BN2 26 A1
Ridgway Clo. BN2 23 F1
Ridgway Gdns. BN2 23 G3
Rigden Rd. BN3 20 B2
Riley Rd. BN2 21 G2
Ringmer Clo. BN1 14 C3
Ringmer Dri. BN1 14 D3
Ringmer Rd. BN1 14 C3
River Clo. BN43 16 B6
Riverside. BN43 16 C5
Riverside Rd. BN43 16 C5
Robert St. BN1 7 F3
Robertson Rd. BN1 20 C1
Robin Davis Rd. BN2 22 A1
Robin Dene. BN2 22 A5
Rochester Gdns. BN3 20 B4
Rochester St. BN2 21 G5
Rock Gro. BN2 21 H6
Rock Pl. BN2 7 G5
Rock St. BN2 22 A6
Roderick Av. BN10 27 F4
Roderick Av Nth.
BN10 27 F3
Rodmell Av. BN2 26 A2
Roedale Rd. BN1 21 F1
Roedean Cres. BN2 22 C6
Roedean Hts. BN2 22 C6
Roedean Path. BN2 22 D6
Roedean Rd. BN2 22 B6
Roedean Ter. BN2 22 D6
Roedean Vale. BN2 22 D6
Roedean Way. BN2 22 D6
Roman Cres. BN42 17 G4
Roman Rd. BN3 18 D5
Roman Rd. BN42 17 H3
Roman Way. BN42 17 G3
Romany Clo. BN41 10 D6
Romney Rd. BN2 25 G6
Romsey Clo. BN1 14 A5
Ropetackle. BN43 16 B4
Ropewalk. BN43 16 B4
Rose Hill. BN1 21 F3
Rose Hill Clo. BN1 21 E3
Rose Hill Ter. BN1 21 E3
Rosebery Av. BN2 23 E1
Rosedene Clo. BN2 23 G3
Rosemary Clo. BN10 27 F3
Rosemary Dri. BN43 17 E2
Rosslyn Av. BN43 16 D4
Rosslyn Ct. BN43 16 C4
Rosslyn Rd. BN43 16 C4
Rothbury Rd. BN3 18 D4
Rotherfield Clo. BN1 13 H2
Rotherfield Cres. BN1 13 H2
Round Hay Av. BN10 27 H6
Round Way. BN1 14 C2
Roundhill Cres. BN2 21 F2
Roundhill Rd. BN2 21 F2
Roundhill St. BN2 21 F2
Rowan Av. BN3 11 F5
Rowan Clo. BN41 10 B5
Rowan Way. BN2 25 E3
Rowe Av. BN10 27 E5
Rowe Av Nth. BN10 27 E4
Royal Cres. BN2 21 G6
Royal Cres Mws. BN2 21 G6
Royles Clo. BN2 25 F4
Rudyard Clo. BN2 23 G2
Rudyard Rd. BN2 23 G2
Rugby Pl. BN2 22 B6
Rugby Rd. BN2 21 E1
Rushlake Clo. BN1 14 C2
Rushlake Rd. BN1 14 C2
Ruskin Rd. BN3 19 F4
Rusper Rd. BN1 14 B1
Russell Cres. BN1 20 D3
Russell Mews. BN1 6 C4
Russell Pl. BN1 6 D4
Russell Rd. BN1 6 C4
Russell Sq. BN1 6 C4
Rustic Clo. BN10 27 E2
Rustic Pk. BN10 27 E2
Rustic Rd. BN10 27 E2
Rustington Rd. BN1 13 F3
Rutland Gdns. BN3 19 F5
Rutland Rd. BN3 19 F4
Ryde Rd. BN2 21 H3
Rye Clo. BN2 26 C2
Ryelands Dri. BN2 14 B5

Sackville Gdns. BN3 19 F6
Sackville Ind Est. BN3 19 G3
Sackville Rd. BN3 19 G5
Sadler Way. BN2 22 B4
Saffron Walk. BN43 17 E2
St Andrews Rd. BN41 18 C5
St Andrews Rd. BN1 21 E1
St Aubyns. BN3 19 G6
St Aubyns Cres. BN41 18 B4
St Aubyns Mead. BN2 25 F5
St Aubyns Rd,
Fishergate. BN41 18 B4
St Aubyns Rd,
Portslade. BN41 18 C4
St Aubyns Sth. BN3 19 G6
*St Catherines Ter,
Kingsway. BN3 19 G6
St Cuthmans Clo. BN2 22 B3
St Georges Mws. BN1 7 F2
St Georges Pl. BN1 7 F2
St Georges Rd. BN2 21 G6
St Georges Ter. BN2 21 G6
St Giles Clo. BN43 16 D4
St Helens Cres. BN3 11 E4
St Helens Dri. BN3 11 E4
St Helens Rd. BN2 21 H3
St Heliers Av. BN3 19 E4
St Jamess Av. BN2 7 H5
St Jamess Mews. BN2 7 G5
St Jamess Pl. BN2 7 F5
St Jamess St. BN2 7 F5
*St Johns Mews,
Bedford St. BN2 21 G6
St Johns Pl. BN2 7 G4
St Johns Pl. BN3 20 B4
St Johns Rd. BN3 20 B5
St Josephs Clo. BN3 19 G3
St Julians Clo. BN43 17 F4
St Julians La. BN43 17 F4
St Keyna Av. BN3 18 D5
St Laurence Clo. BN10 26 D3
St Leonards Av. BN3 18 C5
St Leonards Gdns.
BN3 18 D5
St Leonards Rd. BN2 21 G2
St Leonards Rd. BN3 18 C5
St Louie Clo..BN42 10 B6
St Lukes Rd. BN2 21 G4
St Lukes Ter. BN2 21 G4
St Margarets Pl. BN1 6 C4
St Marks St. BN2 22 A6
St Martins Pl. BN2 21 F3
St Martins St. BN2 21 F3
St Mary
Magdalene St. BN2 21 F2
*St Marys Mews,
St Marks St. BN2 22 A6
St Marys Pl. BN2 7 H5
St Marys Sq. BN2 21 H6
St Marys Rd. BN43 16 C5
St Michaels Pl. BN1 6 C2
St Michaels Rd. BN41 18 B5
St Nicholas Rd. BN1 6 D3
St Nicholas Rd. BN41 18 B5
St Nicolas La. BN43 16 A3
St Patricks Rd. BN3 19 G4
St Pauls St. BN2 21 F2
St Peters Av. BN10 26 D4
St Peters Clo. BN3 11 G5
St Peters Pl. BN1 7 F1
St Peters Rd. BN41 18 B5
St Peters St. BN1 21 E3
St Philips Mews. BN3 19 F5
St Richards Rd. BN41 18 B5
Salisbury Rd. BN3 20 B4
Saltdean Dri. BN2 25 H6
Saltdean Pk Rd. BN2 25 H6
Saltdean Vale. BN2 26 A2
Sandgate Rd. BN1 13 F6
Sandhurst Av. BN2 23 F1
Sandown Rd. BN2 21 H3
Sandown Rd. BN42 17 G4
Sandringham Clo.
BN3 12 A5
Sandringham Dri.
BN3 12 A5
Sanyhills Av. BN1 13 E1
Saunders Hill. BN1 14 B1
Saunders Park Rise.
BN2 21 G1
Saunders Park View.
BN2 21 G1
Saxon Clo. BN2 25 H4
Saxon Rd. BN3 18 D5
Saxonbury. BN2 7 G3
Saxons. BN43 16 C2
Scarborough Rd. BN1 20 C1
School Clo. BN42 17 G4
School La. BN2 25 H5
School Rd. BN3 19 F4
Scotland St. BN2 7 H2
Scott Rd. BN3 19 F4
Seafield Rd. BN3 19 G6
Seaford Rd. BN3 18 C5
Seahaven Gdns. BN43 16 A6
Searle Av. BN10 27 H6
Seasaw Way. BN2 22 C3
Seaview Av. BN10 27 G6
Seaview Rd. BN10 27 H6
Seaview Rd. BN2 23 E1
Second Av. BN3 20 A5
Second Rd. BN10 26 D5
Sefton Rd. BN41 10 A3
Selba Dri. BN2 14 C5
Selborne Pl. BN3 20 B3
Selborne Rd. BN3 20 B4
Selham Clo. BN1 14 B1
Selham Dri. BN1 14 B1
Selhurst Rd. BN2 23 G3
Selmeston Pl. BN2 22 B4
Selsey Clo. BN1 14 C1
Selsfield Dri. BN2 14 B5
Semley Rd. BN1 21 E1
Sevelands Clo. BN2 22 B3
Seven Dials. BN1 20 D3
Seville St. BN2 21 G3
Seymour Sq. BN2 21 G6
Seymour St. BN2 21 G6
Shaftesbury Pl. BN1 21 E2
Shaftesbury Rd. BN1 21 E2
Shakespeare St. BN3 19 G4
Shanklin Rd. BN2 21 G2
Shannon Clo. BN10 27 E2
Sharpthorne Cres.
BN41 10 D5
Sheep Walk. BN2 25 E4
Sheepbell Clo. BN41 10 D4
Shelldale Av. BN41 18 B4
Shelldale Cres. BN41 18 B4
Shelldale Rd. BN41 18 B4
Shelley Rd. BN3 19 F4
Shenfield Way. BN1 13 G6
Shepham Av. BN2 26 A2
Shepherds Cot. BN10 27 G2
Shepherds Croft. BN1 12 C4
Sheppard Way. BN41 10 C4
Sherbourne Clo. BN3 11 E4
Sherbourne Rd. BN3 11 E4
Sherbourne Way. BN3 11 F3
Sheriden Ter. BN3 19 G4
Sherrington Rd. BN2 23 H2
Shingle Rd. BN43 16 D5
Ship St. BN1 7 E5
Ship St. BN43 16 B5
Ship St Gdns. BN1 6 D5
Shipley Rd. BN2 23 G3
Shirley Av. BN3 12 B6
Shirley Clo. BN43 17 F3
Shirley Dri. BN3 20 A2
Shirley Dri. BN3 12 B6
Shirley Rd. BN3 20 B2
Shirley St. BN3 19 G4
Shoreham
By-Pass. BN43 16 A2
Shortgate Rd. BN2 14 D3
Sidehill Dri. BN41 10 B5
Sillwood Pl. BN1 6 B4
Sillwood Rd. BN1 6 B4
Sillwood St. BN1 6 A4
Sillwood Ter. BN1 6 B3

Silverdale Av. BN3 20 B3
Silverdale Rd. BN3 20 B3
Singleton Rd. BN1 13 F2
Skyline Vw. BN10 27 G2
Slindon Av. BN10 27 F6
Slinfold Clo. BN2 21 H5
Slonk Hill Rd. BN43 16 C2
Solway Av. BN1 13 E1
Somerhill Av. BN3 20 B3
Somerhill Rd. BN3 20 B4
Somerset St. BN2 21 G5
Sompting Clo. BN2 22 B3
South Av. BN2 21 G5
South Coast Rd. BN2 26 A3
South Rd. BN1 20 C1
South St,
  Brighton. BN1 6 D5
South St,
  Falmer. BN1 15 G1
South St. BN41 10 C6
South Woodlands.
  BN1 12 D3
Southall Av. BN2 14 B6
Southampton St. BN2 21 F4
Southampton Av. BN1 21 E1
Southdown Av. BN10 27 G6
Southdown Av. BN41 18 C3
Southdown Pl. BN1 21 E1
Southdown Rd. BN1 21 E1
Southdown Rd. BN41 10 C4
Southdown Rd. BN43 16 B4
Southdown Rd. BN42 17 G4
Southern Ring Rd.
  BN1 15 F1
Southmount. BN1 21 F1
Southon Clo. BN41 10 A4
Southover St. BN2 21 F3
Southview Clo. BN43 17 E4
Southview Clo. BN42 17 G3
Southview Rd. BN10 27 F4
Southview Rd. BN42 17 G3
Southwater Clo. BN2 21 G4
Southwick Sq. BN42 17 G4
Southwick St. BN42 17 H4
Spencer Av. BN1 11 E4
Spinnalls Gro. BN42 17 G4
Sports Centre Rd. BN1 15 E1
Spring Gdns. BN1 7 E3
Spring St. BN1 6 C3
Springate Rd. BN41 18 A4
Springfield Av. BN10 26 C4
Springfield Rd. BN1 7 E2
Stafford Rd. BN1 20 C2
Standean Clo. BN1 14 B2
Stanford Av. BN1 21 E1
Stanford Clo. BN3 19 H2
Stanford Rd. BN1 20 D2
Stanley Av. BN41 10 A3
Stanley Rd. BN1 7 E2
Stanley Rd. BN10 27 E2
Stanley Rd. BN3 18 B3
Stanley St. BN2 7 H3
Stanmer Av. BN2 26 A1
Stanmer Av. W. BN2 26 A1
Stanmer Pk Rd. BN1 13 G6
Stanmer St. BN1 13 G6
Stanmer Villas. BN1 13 G6
Stanstead Cres. BN2 23 H4
Staplefield Dri. BN2 14 C5
Stapley Rd. BN3 11 F6
Station App. BN1 15 F2
Station App. BN3 19 H4
Station Rd. BN1 18 C5
Station Rd. BN1 12 D5
Station Rd. BN42 17 H5
Station St. BN1 7 E1
Steine Gdns. BN1 7 F4
Steine La. BN1 7 F5
Steine St. BN2 7 F5
Stephens Rd. BN1 14 A6
Stevens Ct. BN3 19 E4
Stevenson Rd. BN2 21 G5
Steyning Av. BN10 27 F6
Steyning Av. BN3 11 G4
Steyning Rd. BN2 25 F5
Steyning Rd. BN43 16 A1
Stirling Pl. BN3 19 G5
Stone St. BN1 6 C3
Stonecroft Clo. BN3 11 F3
Stonecross Rd. BN2 14 D3
Stoneham Rd. BN3 19 F4

Stonehurst Ct. BN2 21 G4
Stoneleigh Av. BN1 13 E2
Stoneleigh Clo. BN1 13 F2
Stonery Clo. BN41 10 B4
Stonery Rd. BN41 10 B5
Stoney La. BN43 17 F4
Storrington Clo. BN3 11 F4
Stringer Way. BN1 13 E5
Sudeley Pl. BN2 21 H6
Sudeley St. BN2 21 H6
Sudeley Ter. BN2 21 H6
Suffolk St. BN3 19 F4
Sullington Clo. BN2 14 D4
Sullington Way. BN43 16 D4
Summer Clo. BN41 18 B4
Summerdale Rd. BN3 11 F4
Summersdeane. BN42 17 H2
Sunninghill Av. BN3 11 F5
Sunninghill Clo. BN3 11 F5
Sunnydale Av. BN1 13 F2
Sunnydale Clo. BN1 13 F2
Sunset Clo. BN10 27 E2
Sunview Av. BN10 27 G6
Surrenden Clo. BN1 13 E4
Surrenden Cres. BN1 12 D5
Surrenden Holt. BN1 13 E5
Surrenden Pk. BN1 13 F5
Surrenden Rd. BN1 13 E5
Surrey St. BN1 7 E2
Surry St. BN43 16 C5
Sussex Pl. BN2 7 G2
Sussex Rd. BN3 19 G6
Sussex Sq. BN2 22 A6
Sussex St. BN2 7 G3
Sussex Ter. BN2 7 G3
Sussex Way. BN10 26 C5
Sutherland Rd. BN2 21 G5
Sutton Av. BN10 27 E5
Sutton Av Nth. BN10 27 E4
Sutton Clo. BN2 23 G1
Swanborough Dri.
  BN2 22 B2
Swanborough Pl.
  BN2 22 B2
Swanee Clo. BN43 16 B4
Swiss Gdns. BN43 16 B4
Sycamore Clo. BN41 10 D4
Sycamore Clo. BN2 23 H2
Sydney St. BN1 7 F2
Sylvester Way. BN3 11 E4
Symbister Rd. BN41 18 C4
Talbot Cres. BN1 14 B2
Tamworth Rd. BN3 19 F4
Tandridge Rd. BN3 19 E5
Tangmere Rd. BN1 13 F2
Tarmount La. BN43 16 C5
Tarner Rd. BN2 7 H3
Tarragon Way. BN43 17 E2
Taunton Gro. BN2 15 E6
Taunton Rd. BN2 14 D6
Taunton Way. BN2 14 D6
Tavistock Down. BN1 14 A6
Teg Clo. BN41 10 D4
Telegraph St. BN2 21 G6
Telscombe
  Cliffs Way. BN10 26 D4
Telscombe Pk. BN10 27 F2
Telscombe Rd. BN10 27 F2
Temple Gdns. BN1 6 B2
Temple St. BN1 6 B3
Tenantry Down Rd.
  BN2 22 A2
Tenantry Rd. BN2 22 A1
Tennis Rd. BN3 19 E5
Terminus Pl. BN1 7 E1
Terminus Rd. BN1 7 E1
Terminus St. BN1 7 E1
Thames Clo. BN2 7 H4
The Avenue. BN1 14 B5
The Avenue. BN43 16 B3
The Beeches. BN1 12 C5
The Bricky. BN10 27 F3
The Brow. BN1 23 F1
The Burrells. BN43 17 E6
The Byre. BN2 23 F5
The Byway. BN2 14 C2
The Causeway. BN2 21 H4
The Cedars. BN1 27 F3
The Charltons. BN1 14 B1
The Cliff. BN2 22 C6

The Close. BN43 16 C4
The Close. BN1 12 D3
The Compts. BN10 27 E2
The Crescent. BN2 14 C5
The Crescent. BN42 17 H3
The Crestway. BN1 14 A6
The Crossway. BN1 14 A6
The Crossway. BN41 10 B5
The Curlews. BN43 16 D4
The Cygnets. BN43 16 C4
The Deeside. BN1 13 F1
The Dene. BN3 11 F4
The Deneway. BN1 12 D4
The Dewpond. BN10 27 E3
The Down. BN3 11 E3
The Drive. BN3 19 H5
The Drive. BN43 16 C3
The Drive. BN42 17 G2
The Driveway. BN43 16 D3
The Drove. BN1 15 G2
The Drove. BN3 20 B1
The Droveway. BN3 20 A1
The Esplanade. BN10 26 C5
The Finches. BN43 16 C4
The Gardens. BN41 18 C3
The Gardens. BN42 17 H5
The Graperies. BN2 7 H4
The Green. BN2 25 F5
The Green. BN42 17 G4
The Green. BN3 12 C6
The Heights. BN3 12 A4
The Herons. BN43 16 C4
The Highway. BN2 14 B5
The Highway. BN10 28 A5
The Hyde. BN2 22 C1
The Kestrels. BN43 16 C4
The Lanes. BN1 7 E4
The Linkway. BN1 21 F1
The Lookout. BN10 27 F1
The Lynchetts. BN43 16 C2
The Marlinspike. BN43 16 D5
The Martins. BN10 27 E2
The Martlet. BN3 20 B2
The Martlets. BN43 16 C4
The Meadows. BN3 11 E4
The Meadway. BN43 16 C6
The Meadway. BN2 22 B4
The Moorings. BN43 17 E5
*The Old Riding Stables,
  High St. BN41 10 B5
The Orchard. BN43 17 E2
*The Orchard, Moulsecoomb
  Way. BN2 14 C4
The Paddock. BN3 20 B1
The Paddock. BN43 16 A3
The Parade. BN3 11 F5
The Parade. BN1 12 B4
The Park. BN2 25 G5
The Parks. BN41 10 B4
The Promenade.
  BN10 26 D5
The Ridgway. BN2 23 F1
The Ridings. BN10 27 E2
The Rise. BN41 10 B4
The Rotyngs. BN2 25 E4
The Saltings. BN43 16 A6
The Sheepfold. BN10 27 F3
The Spinney. BN3 12 B5
The Sparrows. BN10 27 F3
The Square. BN1 12 D2
The Strand. BN2 24 A4
The Street. BN43 16 A3
*The Swallows,
  Ambleside Av. BN10 26 D5
The Twitten. BN2 25 F5
The Twitten. BN2 14 C4
The Upper Drive. BN3 20 B2
The Vale. BN2 24 D2
The Village Barn. BN2 12 D1
The Woodlands. BN1 12 D3
Third Av. BN3 19 H6
Third Av. BN10 26 D4
Thompson Rd. BN1 13 G3
Thornbush Cres. BN41 10 D4
Thorndean Rd. BN2 14 B5
Thornhill Av. BN1 13 F1
Thornhill Clo. BN3 11 F4
Thornhill Rise. BN41 10 B3
Thornhill Way. BN41 10 B3
Thornsdale. BN2 7 G2

Thyme Clo. BN43 17 E3
Ticehurst Rd. BN2 22 C4
Tichbourne St. BN1 7 E3
Tidy St. BN1 7 F2
Tilbury Pl. BN2 7 G3
Tilbury Way. BN2 7 H3
Tilgate Clo. BN2 21 H4
Tillstone Clo. BN2 14 B5
Tillstone St. BN2 21 F5
Tintern Clo. BN1 21 F1
Tisbury Rd. BN3 19 H5
Titian Rd. BN3 19 F5
Tivoli Cres. BN1 20 B1
Tivoli Cres Nth. BN1 12 C6
Tivoli Pl. BN1 12 D6
Tivoli Rd. BN1 12 C6
Tollgate. BN10 27 E3
Tongdean Av. BN3 12 B5
Tongdean La. BN3 12 B4
Tongdean Rise. BN1 12 C4
Tongdean Rd. BN3 12 B5
Tophill Clo. BN41 10 B5
Tor Rd. BN10 27 F2
Tor Rd Nth. BN10 27 E2
Torcross Clo. BN2 22 B1
Toronto Ter. BN2 21 F4
Torrance Clo. BN3 11 G6
Totland Rd. BN2 21 G3
Tower Rd. BN2 21 G4
Trafalgar Ct. BN1 7 E2
Trafalgar La. BN1 7 E2
Trafalgar Pl. BN1 7 E1
Trafalgar Rd. BN41 18 B3
Trafalgar St. BN1 7 E2
Trafalgar Ter. BN1 7 E2
Tredcroft Rd. BN3 12 B6
Treetops Clo. BN2 23 G1
Tremola Av. BN2 25 H5
Treyford Clo. BN2 23 G1
Trinity St. BN2 21 F3
Trueleigh Clo. BN2 23 H4
Trueleigh Dri. BN41 10 B3
Trueleigh Way. BN43 16 D2
Tudor Clo. BN2 25 F5
Tudor Clo. BN3 11 G5
Tumulus Rd. BN2 25 H4
Turnpike Clo. BN10 27 F3
Turton Clo. BN2 21 H5
Twineham Clo. BN2 22 B3
Twitten Clo. BN42 17 G4
Twyford Rd. BN1 14 C2
Tye View. BN10 26 D3
Tyedean Rd. BN10 26 C4
Uckfield Clo. BN2 22 B3
Under Cliff Wk. BN2 25 G6
Underdown Rd. BN42 17 G3
Union Rd. BN2 21 F3
Union St. BN1 7 E4
Uplands Rd. BN1 14 A5
Upper Abbey Rd. BN2 21 H6
Upper Bedford St.
  BN2 21 G6
Upper Bevendean Av.
  BN2 14 C6
Upper Chalvington Pl.
  BN2 22 B4
Upper Gardner St.
  BN1 7 E3
Upper Gloucester Rd.
  BN1 6 D2
Upper Hamilton Rd.
  BN1 20 D2
Upper Hollingdean Rd.
  BN1 21 F1
Upper Kingston La.
  BN42 17 G3
Upper Lewes Rd. BN2 21 F3
Upper Market St. BN3 6 A3
Upper North St. BN1 6 C3
Upper Park Rd. BN2 21 F5
Upper Rock Gdns. BN2 7 H5
Upper Shoreham Rd.
  BN43 16 A3
Upper St Jamess St.
  BN2 21 F6
Upper Sudeley St.
  BN2 21 H6
Upper Wellington Rd.
  BN2 21 G2

Upper Winfield Av
  BN1 13 E3
Upton Av. BN42 17 H2
Vale Av. BN1 12 D1
Vale Gdns. BN41 18 B4
Vale Rd. BN41 18 B4
Vale Rd. BN2 26 A1
Valerie Clo. BN41 10 D5
Vallance Gdns. BN3 19 G6
Vallance Rd. BN3 19 G5
Valley Clo. BN1 12 C4
Valley Dri. BN1 12 B4
Valley Rd. BN10 27 F1
Valley Rd. BN41 10 B4
Varndean Clo. BN1 13 E5
Varndean Dri. BN1 12 D5
Varndean Gdns. BN1 12 D5
Varndean Holt. BN1 13 E5
Varndean Rd. BN1 12 D5
Ventnor Villas. BN3 19 H5
Vere Rd. BN1 21 E2
Vernon Av. BN10 27 G6
Vernon Av. BN2 23 F1
*Vernon Gdns,
  Vernon Ter. BN1 6 C1
Vernon Ter. BN1 6 C1
Veronica Way. BN2 7 H5
Viaduct Rd. BN1 21 E3
Vicarage La. BN2 25 F5
Vicarage Ter. BN2 25 F5
Victoria Cotts. BN3 19 G6
Victoria Gro. BN3 20 A4
Victoria Pl. BN1 6 C2
Victoria Rd. BN1 6 B2
Victoria Rd. BN41 18 B4
Victoria Rd. BN43 16 B4
Victoria Rd. BN42 17 G5
Victoria St. BN1 6 C3
*Victoria Ter,
  Kingsway. BN3 19 G6
View Rd. BN10 27 F4
Village Way. BN1 15 G2
Villiers Clo. BN2 23 G2
Vine Pl. BN1 6 C2
Vine St. BN1 7 F3
Vines Cross Rd. BN2 22 C3
Wadhurst Rise. BN2 22 B5
Wakefield Rd. BN2 21 F2
Waldegrave Rd. BN1 21 E1
Waldron Av. BN1 14 B1
Walesbeech Rd. BN2 26 A4
Walmer Cres. BN2 15 E6
Walnut Clo. BN1 13 E5
Walpole Rd. BN2 21 G5
Walpole Ter. BN2 21 G5
Walsingham Rd. BN3 19 F6
Walton Bank. BN2 14 C2
Wanderdown Clo. BN2 24 D3
Wanderdown Dri. BN2 24 D2
Wanderdown Rd. BN2 24 D3
Wanderdown Way.
  BN2 24 D2
Warbleton Clo. BN2 22 B5
Warenne Rd. BN3 11 E3
Warleigh Rd. BN1 21 E2
Warmdene Av. BN1 13 E2
Warmdene Clo. BN1 13 E3
Warmdene Rd. BN1 13 E3
Warmdene Way. BN1 13 E3
Warnham Rise. BN1 13 G3
Warren Av. BN2 23 E1
Warren Clo. BN2 22 D2
Warren Rise. BN2 22 D2
Warren Road. BN2 22 A2
Warren Way. BN10 26 D3
Warren Way. BN2 23 F1
Warrior Clo. BN41 10 D4
Warwick Walk. BN43 16 B4
Washington St. BN2 21 F4
Waterdyke Av. BN42 17 G5
Waterford Rd. BN10 27 F2
Waterhall Rd. BN1 12 B2
Waterloo Pl. BN2 7 G1
Waterloo St. BN1 6 A4
Watling Clo. BN2 17 G4
Watling Rd. BN2 17 G4
Watling Rd. BN42 17 G5
Waverley Cres. BN1 21 F1
Wayfield Av. BN3 11 G6
Wayland Av. BN1 12 B4
Wayside. BN1 12 C2

37

Weald Av. BN1 11 G6
Weald Dyke. BN43 16 B6
Welbeck Av. BN3 19 E6
Welesmere Rd. BN2 25 G4
Wellington Rd. BN2 21 F3
Wellington Rd. BN10 27 H6
Wellington Rd. BN41 18 B5
Wellington St. BN2 21 G3
Wendale Dri. BN10 27 G2
Wentworth St. BN2 7 G5
Wessex Walk. BN43 16 B2
West Beach. BN43 16 A6
West Dri. BN2 21 F5
West Hill Pl. BN1 6 D1
West Hill Rd. BN1 6 D1
West Hill St. BN1 6 D1
West Rd. BN41 18 A5
West St. BN1 6 D5
West St. BN41 18 C5
West St. BN2 25 F5
West St. BN43 16 B5
West Way. BN3 11 E5
Westbourne Gdns. BN3 19 F5
Westbourne Pl. BN3 19 F6
Westbourne St. BN3 19 E6
Westbourne Vs. BN3 19 F6
Westbrook Way. BN41 18 A5
Westdene Dri. BN1 12 B3
Westergate Rd. BN2 14 C4
Western Esplanade. BN3 18 D6
Western Rd. BN3 20 B4
Western Rd. BN43 16 B4
Western St. BN1 6 A4
Western Ter. BN1 6 B3
Westfield Av. BN2 26 B1
Westfield Av Nth. BN2 26 A1
Westfield Av Sth. BN2 26 A1
Westfield Clo. BN1 13 F3
Westfield Cres. BN1 13 F3
Westfield Rise. BN2 26 B1
Westmeston Av. BN2 25 G5
Westmorland Wk. BN43 16 B2
Westmount Clo. BN42 17 G4
Westway Clo. BN41 10 A3
Westway Gdns. BN41 10 A3
Wharf Rd. BN3 18 D5
Wheatfield Way. BN2 14 D4
Wheatlands Clo. BN10 27 E2
Whichelo Pl. BN2 21 G4
Whipping Post La. BN2 25 F5
Whippingham Rd. BN2 21 G2
Whippingham St. BN2 21 G2
White St. BN2 7 G4
Whitecross St. BN1 7 F1
Whitehawk Clo. BN2 22 B4
Whitehawk Cres. BN2 22 B4
Whitehawk Hill Rd. BN2 21 H5
Whitehawk Rd. BN2 22 B3
Whitehawk Way. BN2 22 B3
Whitelot Clo. BN42 17 G2
Whitelot Way. BN42 17 G2
Whiterock Pl. BN42 17 G2
Whitethorn Dri. BN1 12 B4
Whiteway La. BN2 25 F5
Whittinghame Gdns. BN1 13 E5
Wick Hall. BN1 6 A2
Wickhurst Clo. BN41 10 B4
Wickhurst Rise. BN41 10 B4
Wickhurst Road. BN41 10 B4
Wicklands Av. BN2 26 A2
Widdicombe Way. BN2 14 C5
Wigmore Clo. BN1 21 F1
Wilbury Av. BN3 19 H4
Wilbury Cres. BN3 20 B3
Wilbury Gdns. BN3 19 H4
Wilbury Gro. BN3 20 A4
Wilbury Rd. BN3 20 A4
Wilbury Villas. BN3 20 B3
Wilby Av. BN42 17 G2
Wild Park Clo. BN2 14 C4
Wilfrid Rd. BN3 11 E6

Wilkinson Clo. BN2 25 E4
William St. BN1 7 F4
William St. BN41 18 B5
Williams Rd. BN43 17 E4
Willingdon Rd. BN2 22 A1
Wilmington Clo. BN1 13 F3
Wilmington Parade. BN1 13 F3
Wilmington Way. BN1 13 F3
Wilmot Rd. BN43 17 E3
Wilson Av. BN2 22 B6
Winchester St. BN1 21 E2
Wincombe Rd. BN1 20 C1
Windlesham Av. BN1 6 B1
Windlesham Clo. BN41 10 C6
Windlesham Gdns. BN1 6 B1
Windlesham Gdns. BN43 16 C4
Windlesham Rd. BN1 6 B2
Windlesham Rd. BN43 16 C3
Windmill Clo. BN3 11 G5
Windmill Dri. BN1 12 B2
Windmill Par. BN42 17 H3
Windmill Rd. BN42 17 G2
Windmill St. BN2 7 H3
Windmill Ter. BN2 7 H2
Windmill View. BN1 13 G2
Windsor Bldgs. BN1 6 D3
Windsor Clo. BN3 11 H4
Windsor St. BN1 7 E4
Winfield Av. BN1 13 E2
Winfield Clo. BN41 10 B3
Winfield Clo. BN1 13 E3
Winterton Way. BN43 16 D6
Winton Av. BN2 25 H4
Wish Rd. BN3 19 E5
Wiston Rd. BN2 22 B4
Wiston Rd Nth. BN2 22 B3
Wiston Rd Sth. BN2 22 B3
Wiston Walk. BN2 22 B3
Withdean Av. BN1 12 C6
Withdean Clo. BN1 12 C5
Withdean Ct Av. BN1 12 D5
Withdean Cres. BN1 12 D5
Withdean Rise. BN1 12 D5
Withdean Road. BN1 12 D5
Withyham Av. BN2 26 A3
Wivelsfield Rd. BN2 25 H4
Woburn Pl. BN1 14 D3
Wolseley Rd. BN1 14 B1
Wolseley Rd. BN41 18 B3
Wolstonbury Rd. BN3 20 C3
Wolstonbury Wk. BN43 16 B2
Wolverstone Dri. BN1 14 A5
Woodards Vw. BN43 16 A6
Woodbourne Av. BN1 13 E4
Woodhouse Rd. BN3 19 F4
Woodland Av. BN3 12 A6
Woodland Clo. BN3 12 A6
Woodland Ct. BN3 12 A4
Woodland Dri. BN3 12 A6
Woodland Par. BN3 12 B5
Woodland Way. BN1 13 E4
Woodland Walk. BN2 24 D2
Woodlands. BN1 12 C6
Woodlands Clo. BN10 27 E3
Woodruff Av. BN3 12 B6
Woodside Av. BN3 12 D6
Woodview. BN43 16 C3
Woodview Clo. BN1 14 B2
Worcester Villas. BN3 18 C4
Wordsworth St. BN3 19 F4
Wykeham Ter. BN1 6 D3
Wyndam St. BN2 7 H6
Wynne Mews. BN3 19 G4

Yardley St. BN1 21 E2
York Av. BN3 6 A2
York Gro. BN1 20 D3
York Hill. BN1 21 E3
York Pl. BN1 7 F1
York Rd. BN3 6 A3
York Rd. BN10 27 H6
York Villas. BN1 20 D3
Youngsmere Clo. BN1 13 G2

Zion Gdns. BN1 6 D3

LEWES

Abergavenny Rd. BN7 8 C3
Abinger Pl. BN7 9 E3
Albion St. BN7 9 E3
Annes Path. BN7 8 D5
Antioch St. BN7 8 D4
Arundel Green. BN7 8 D2

Barn Hatch Clo. BN7 8 B5
Barn Rd. BN7 9 F1
Barons Down Rd. BN7 8 B5
Barons Walk. BN7 8 B4
Baxter Rd. BN7 8 C2
Beckett Way. BN7 9 E1
Bell La. BN7 8 C5
Berkeley Row. BN7 8 C5
Bishops Dri. BN7 8 B4
Blois Rd. BN7 8 B1
Boughey Pl. BN7 9 E1
Bradford Rd. BN7 8 D4
Bridgewick Clo. BN7 9 E1
Brighton Rd. BN7 8 A5
Brook St. BN7 9 E3
Brooks Clo. BN7 9 F2
Brooks Rd. BN7 9 F2
Broomans La. BN7 9 E4
Buckhurst Clo. BN7 9 E1
Buckwell Ct. BN7 8 B1
Bull La. BN7 9 E4

Caburn Cres. BN7 8 B2
Castle Banks. BN7 9 E4
Castle Ditch La. BN7 9 E4
Castle Gate. BN7 9 E4
Castle Precincts. BN7 9 E7
Chapel Hill. BN7 9 G3
Christie Rd. BN7 8 C3
Church La, Lewes. BN7 8 D4
Church La, South Malling. BN7 9 E2
Church Row. BN7 9 E3
Church Twitten. BN7 9 E4
Churchill Rd. BN7 8 C1
Clare Rd. BN7 8 C2
Cleve Ter. BN7 8 D5
Cliffe High St. BN7 9 F3
Cliffe Ind Est. BN8 9 H5
Cluny St. BN7 8 D5
Cockshut Rd. BN7 8 D5
Coombe Rd. BN7 9 F2
Court Rd. BN7 9 F4
Cranedown. BN7 8 C6
Cranmer Clo. BN7 9 F2
Crisp Rd. BN7 8 C1
Cross Way. BN7 8 B3

Dale Rd. BN7 8 C5
Daveys La. BN7 9 F3
De Grey Clo. BN7 9 F2
De Montfort Rd. BN7 8 C4
De Warrenne Rd. BN7 8 C3
Deanery Clo. BN7 9 F1
Delaware Rd. BN7 8 B5
Dorset Rd. BN7 9 E5
Downs Clo. BN7 8 B2
Downside. BN7 8 B4
Dunvan Clo. BN7 9 E1

Earls Gdns. BN7 9 E3
East St. BN7 9 E3
East Way. BN7 8 A2
Eastgate St. BN7 9 F3
Eastgate Wharf. BN7 9 F3
Eastport La. BN7 9 E5
Edward St. BN7 9 E4
Eleanor Clo. BN7 8 D3
Elm Gro. BN7 9 E4
English's Passe. BN7 9 F3
Eridge Green. BN7 8 C2
Evelyn Rd. BN7 8 C2

Farncombe Rd. BN7 9 F4
Ferrers Rd. BN7 8 C3
Firle Cres. BN7 8 A2
Fisher St. BN7 9 E3
Fitzgerald Rd. BN7 9 F1
Fitzjohn Rd. BN7 8 C3

Fitzroy Rd. BN7 8 C1
Foundry La. BN7 9 F4
Friars Walk. BN7 9 F4
Fuller Rd. BN7 8 C1

Garden St. BN7 9 E4
Glebe Clo. BN7 8 B5
Godfrey Clo. BN7 9 E1
Grange Rd. BN7 8 D5
Green La. BN7 9 E4
Green Wall. BN7 9 F3
Greyfriars Ct. BN7 9 F4
Gundreda Rd. BN7 8 C2

Ham La. BN7 9 F5
Hamsey Cres. BN7 8 B2
Harvard Clo. BN7 9 E1
Harveys Way. BN7 9 F3
Hawkenbury Way. BN7 8 B3
Hayward Rd. BN7 8 C1
Hereward Way. BN7 9 F2
High St. BN7 8 D4
Highdown Rd. BN7 8 B2
Hill Rd. BN7 8 B2
Hillyfield. BN7 8 C5
Hoopers Clo. BN7 9 E1
Horsfield Rd. BN7 8 C1
Houndean Clo. BN7 8 B4
Houndean Rise. BN7 8 A5

INDUSTRIAL ESTATES:
Cliffe Ind Est. BN8 9 H5
Malling Brook Ind Est. BN7 9 F2
Phoenix Ind Est. BN7 9 E3
Irelands La. BN7 8 D4

Juggs Clo. BN7 8 C5
Juggs Rd. BN7 8 A6

Keere St. BN7 8 D4
King Henrys Rd. BN7 8 C2
Kingsley Rd. BN7 8 C2
Kingston Rd. BN7 8 C6

Lambert Pl. BN7 9 E1
Lancaster St. BN7 9 E3
Landport Rd. BN7 8 C1
Lansdown Pl. BN7 9 E4
Lee Rd. BN7 8 C2
Leicester Rd. BN7 8 C3
Lewes Southern By-Pass. BN7 8 A6
Little East St. BN7 9 E3
Love Lane. BN7 8 B5

Malling Brook Ind Est. BN7 9 F2
Malling Clo. BN7 9 F1
Malling Down. BN7 9 F1
Malling Hill. BN7 9 F1
Malling St. BN7 9 G3
Mantell Clo. BN7 9 E1
Market La. BN7 9 E4
Market St. BN7 9 E4
Mealla Cl. BN7 9 F1
Meridian Rd. BN7 8 C2
Middle Way. BN7 8 B3
Mildmay Rd. BN7 8 C3
Mill Rd. BN7 9 F1
Monks La. BN7 8 D5
Monks Way. BN7 9 E1
Montacute Rd. BN7 8 A5
Morley Clo. BN7 8 D5
Morris Rd. BN7 9 F4
Mount Harry Rd. BN7 8 B2
Mount Pl. BN7 9 E4
Mount Pleasant. BN7 9 E3
Mount St. BN7 9 E5
Mountfield Rd. BN7 9 E5

Nevill Cres. BN7 8 B3
Nevill Rd. BN7 8 B2
New Rd. BN7 9 E4
Newton Rd. BN7 8 D2
North Ct. BN7 9 F3
North St. BN7 9 E3
North Way BN7 8 B3

Offham Rd. BN7 8 B1
Old Malling Way. BN7 9 E1

Orchard Rd. BN7 9 G
Ousedale Clo. BN7 8 C

Paddock La. BN7 8 D
Paddock Rd. BN7 8 D
Paines Twitten. BN7 9 E
Park Rd. BN7 8 D
Peckham Clo. BN7 9 E
Pelham Ter. BN7 9 E
Pellbrook Rd. BN7 8 C
Phoenix Causeway. BN7 9 F
Phoenix Ind Est. BN7 9 E
Phoenix Pl. BN7 9 E
Pinwell Rd. BN7 9 E
Pipe Passage. BN7 9 D
Potters La. BN7 8 D
Prince Charles Rd. BN7 9 F
Prince Edwards Rd. BN7 8 C
Priory Cres. BN7 8 E
Priory St. BN7 8 E

Queen Anne's Clo. BN7 8 D
Queens Rd. BN7 9 F

Railway La. BN7 9 F
Riverdale. BN7 9 E
Rotten Row. BN7 8 D
Rufus Clo. BN7 8 D
Russell Row. BN7 9 E

Sackville Clo. BN7 8 D
St Andrews La. BN7 9 E
St Annes Cres. BN7 8 C
St James St. BN7 8 D
St Johns Hill. BN7 9 E
St Johns St. BN7 9 E
St Johns Ter. BN7 9 E
St Martins La. BN7 9 E
St Michaels Ter. BN7 9 E
St Nicholas La. BN7 9 E
St Pancras Gdns. BN7 8 D
St Pancras Rd. BN7 8 D
St Peters Pl. BN7 8 D
St Swithuns La. BN7 9 E
St Swithuns Ter. BN7 9 E
School Hill. BN7 9 E
Segrave Clo. BN7 8 C
Sheep Fair. BN7 8 B
Shelley Clo. BN7 8 C
South Downs Rd. BN7 9 F
South St. BN7 9 G
South Way. BN7 8 B
Southcliffe. BN7 9 G
Southdown Av. BN7 8 B
Southdown Pl. BN7 9 G
Southover High St. BN7 8 D
Southover Rd. BN7 9 E
Spences Field. BN7 9 F
Spences La. BN7 9 F
Spital Rd. BN7 8 C
Spring Gdns. BN7 9 E
Stansfield Rd. BN 8 D
Station Rd. BN7 9 E
Station St. BN7 9 E
Stewards Inn La. BN7 9 E
Stoneham Clo. BN7 9 E
Sun St. BN7 9 E

Talbot Ter. BN7 9 E
Tanners Brook. BN7 9 E
The Avenue. BN7 8 D
The Course. BN7 8 D
The Gallops. BN7 8 B
The Lynchets. BN7 9 G
The Martlets. BN7 9 F
The Meadows. BN7 9 F
The Spinneys. BN7 9 G
Thomas St. BN7 9 G
Timber Yd Cotts. BN7 9 G
Toronto Ter. BN7 9 E
Ty La. BN7 9 G

Valence Rd. BN7 8 C
Valley Rd. BN7 8 C
Verralls Walk. BN7 8 C

Waite Clo. BN7 9 F
Waldshut Rd. BN7 8 B

Wallands Cres. BN7 8 D3
Walwers La. BN7 9 E4
Warren Clo. BN7 8 C4
Warren Dri. BN7 8 C4
Watergate La. BN7 9 E4
Waterloo Pl. BN7 9 E3
Weald Clo. BN7 9 F1
Wellhouse Pl. BN7 8 D4
Wellington St. BN7 9 E3
West St. BN7 9 E3
Western Rd. BN7 8 C4
Westgate St. BN7 8 D4
Wheatsheaf Gdns. BN7 9 G3
White Hill. BN7 8 D3
Windover Cres. BN7 8 B2
Winterbourne Clo. BN7 8 B5
Winterbourne Hollow. BN7 8 C4
Winterbourne La. BN7 8 B5
Winterbourne Mws. BN7 8 C5

NEWHAVEN

Acacia Rd. BN9 29 E1
Anderson Clo. BN9 28 B4
Antony Clo. BN25 29 H5
Arundel Rd. BN9 29 F2
Ash Walk. BN9 28 C4
Avis Clo. BN9 29 E2
Avis Rd. BN9 29 E2
Avis Way. BN9 29 E2

Baker St. BN9 29 E4
Bay Vue Rd. BN9 28 D4
Beach Clo. BN9 29 E5
Beach Rd. BN9 29 E4
Beresford Rd. BN9 29 E2
Bishopstone Rd. BN25 29 H6
Blakeney Av. BN10 28 A5
Brands Clo. BN9 29 E1
Brazen Clo. BN9 28 B4
Bridge St. BN9 28 D4
Brighton Rd. BN9 28 A5
Brooks Clo. BN9 28 D5
Brookside. BN9 28 B1
Bush Rd. BN9 28 B3

Cantercrow Hill. BN9 29 F1
Chapel St. BN9 28 D4
Charlston Av. BN9 28 B6
Chene Av. BN10 28 A5
Chestnut Way. BN9 28 B4
Church Hill. BN9 28 C5
Claremont Rd. BN9 29 F2
Clifton Rd. BN9 29 E4
Cloisters. BN9 28 D4
Cornelius Av. BN9 28 B6
Cottage Clo. BN9 29 E2
Court Farm Clo. BN9 28 B1
Court Farm Rd. BN9 28 D6
Crest Rd. BN9 29 F2
Cresta Rd. BN9 28 A5
Cuckmere Rd. BN9 28 B6

Dacre Rd. BN9 28 D4
Denton Dri. BN9 29 E1
Denton Rise. BN9 29 E1
Denton Rd. BN9 29 E2
Drove Rd. BN9 29 E3

Eastbridge Rd. BN9 29 E4
Edward Clo. BN25 29 H5
Elizabeth Clo. BN9 29 G4
Elm Ct. BN9 28 C4
Elphick Rd. BN9 28 D4
Estate Rd. BN9 29 E4
Evelyn Av. BN9 28 C4

Fairholme Rd. BN9 29 F2
Falaise Rd. BN9 29 F2
Firle Cres. BN9 29 E2
First Av. BN9 28 C5
Fort Rise. BN9 29 E6
Fort Rd. BN9 28 D4
Forward Clo. BN9 29 H4
Freeland Rd. BN9 29 H4
Fullwood Av. BN9 28 C4

Gardeners Hill. BN9 29 G1
Geneva Rd. BN9 28 D5
Gibbon Rd. BN9 28 C5
Gleneagles Clo. BN25 29 G5
Glynde Clo. BN9 29 E2

Hampden Gdns. BN9 29 E1
Hanover Clo. BN25 29 H5
Hanson Rd. BN9 28 C5
Harbour View Clo. BN9 29 H5
Harbour View Rd. BN9 28 B6
Harfield Clo. BN9 29 F1
Harpers Rd. BN9 28 C4
Hawthorn Rise. BN9 28 B4
Hazel Clo. BN9 28 B4
Heighton Cres. BN9 29 E1
Heighton Rd. BN9 29 E1
High St. BN9 28 D4
Hill Crest Rd. BN9 28 D5
Hill Rise. BN9 29 F2
Hill Rd. BN10 28 A6
Hill Rd. BN9 28 D4
Hill Side. BN9 28 D4
Hoathdown Av. BN9 28 B4
Holmdale Rd. BN9 29 G2
Holmes Clo. BN9 29 G5
Howey Clo. BN9 29 G5
Hurdis Rd. BN9 29 G5

Ilford Clo. BN9 29 E2
INDUSTRIAL ESTATES:
Willow Ind Est. BN9 29 E3
Iveagh Cres. BN9 29 E2

Jackson Mews. BN9 28 C4

Kennedy Way. BN9 28 C4
Kings Av. BN9 29 F2

Lapierre Rd. BN9 28 C4
Lawes Av. BN9 28 C4
Lee Way. BN9 28 C3
Lewes Rd. BN9 28 B1
Lewis Clo. BN9 29 F1
Lewry Clo. BN9 28 B4
Links Av. BN10 28 A4
Lower Pl. BN9 28 D4

Maple Leaf Clo. BN9 28 B4
Maple Rd. BN10 28 A5
Marine Dri. BN25 29 G5
Marine View. BN9 28 B5
Marshall La. BN9 28 D4
Meeching Rise. BN9 28 D4
Meeching Rd. BN9 28 D4
Metcalfe Av. BN9 28 C3
Mill Drove. BN25 29 G6
Mount Clo. BN9 29 F3
Mount Pleasant Rd. BN9 29 G1
Mount Rd. BN9 29 F3
Murray Av. BN9 28 C4

Neills Clo. BN9 28 D4
New Rd. BN9 28 D1
Newfield La. BN9 28 C4
Newfield Rd. BN9 28 C4
Nore Rd. BN9 28 B5
Norman Clo. BN9 29 H5
Norman Rd. BN9 28 D4
North La. BN9 28 D4
North Quay Rd. BN9 28 D3
North Way. BN9 28 D4
Northdown Clo. BN9 28 C5
Northdown Rd. BN9 28 C5
Norton Rd. BN9 29 E4
Norton Ter. BN9 29 E4

Outlook Av. BN10 28 A5

Palmerston Rd. B9 29 F2
Park Drive Clo. BN9 29 F1
Park Rd. BN10 28 A6
Pegler Av. BN9 28 B5
Pevensey Rd. BN9 28 B6
Piddinghoe Mead. BN9 28 B3
Pine Tree Clo. BN9 28 B5
Port View. BN9 29 E1
Powell Gdns. BN9 29 E2

Quarry Rd.BN9 28 D6

Railway App. BN9 29 E3
Railway Rd. BN9 29 E4
Rectory Clo. BN9 28 C5
Rectory Rd. BN9 29 E1
Ringmer Rd. BN9 28 B5
Riverside. BN9 28 D4
Robinson Rd. BN9 28 C3
Rochford Way. BN25 29 H5
Roman Clo. BN25 29 H5
Rookery Clo. BN9 29 F1
Rookery Way. BN25 29 H6
Rookery Wa. BN9 29 F1
Rose Walk Clo. BN9 28 C4
Rosemount Clo. BN25 29 G5
Rothwell Ct. BN9 28 B4

St Andrews Dri. BN25 29 G5
St Leonards Clo. BN9 29 F1
St Leonards Rd. BN9 29 F1
St Margarets Rise. BN25 29 G5
St Martins Clo. BN9 29 F2
Saxon Rd. BN9 28 D4
Seaford Rd. BN9 29 F3
Seagrave Clo. BN25 29 G5
Seaview Rd. BN9 29 F2
Second Av. BN9 28 C4
Senlac Rd. BN9 28 D4
Ship St. BN9 28 C3
South Rd. BN9 28 D4
South Way. BN9 28 D4
Southdown Clo. BN9 28 B5
Southdown Rd. BN9 28 C5
Station Rd. BN9 29 F2

Tarring Clo. BN9 29 F1
The Close. BN9 29 F1
The Crescent. BN9 29 F2
The Drive. BN9 28 C6
The Drove. BN9 29 E3
The Fairway. BN9 29 E1
The Grove. BN9 29 E1
The Highway. BN9 28 A5
The Leas. BN10 28 A6
The Rose Walk. BN9 28 C4
Third Av. BN9 28 C5
Thompson Rd. BN9 29 F1
Transit Rd. BN9 29 E4
Troon Clo. BN25 29 G5

Upper Valley Rd. BN9 28 B5

Valley Clo. BN9 28 C3
Valley Dene. BN9 28 C4
Valley Rd. BN9 28 B4
Viking Clo. BN25 29 H5

Wellington Rd. BN9 29 F1
West Quay. BN9 28 D5
Westdean Av. BN9 28 B6
Western Rd. BN9 28 C5
Willow Ind. Est. BN9 29 E3
Willow Walk. BN9 28 C3
Wilmington Rd. BN9 28 B5
Windsor Clo BN9 29 H5

SEAFORD

Adelaide Clo. BN25 30 C2
Albany Rd. BN25 30 B4
Alexandra Clo. BN25 30 D4
Alfriston Pk. BN25 31 H2
Alfriston Rd. BN25 31 F3
Aquila Park. BN25 31 F2
Argent Clo. BN25 31 F2
Arundel Rd. BN25 31 H4
Ash Dri. BN25 31 H4
Ashurst Rd. BN25 31 F3
Audrey Clo. BN25 30 C2
Avondale Rd. BN25 30 D4

Badgers Copse. BN25 31 G4
Bainbridge Clo. BN25 31 F3
Balmoral Rd. BN25 31 F2
Barcombe Av. BN25 31 H5

Barcombe Clo. BN25 31 H5
Barn Clo. BN25 31 F2
Barn Rise. BN25. 31 F2
Barons Clo. BN25 30 B2
Battle Clo. BN25 31 G2
Beach Clo. BN25 30 C4
Beacon Clo. BN25 30 C3
Beacon Dri. BN25 30 C3
Beacon Rd. BN25 30 C3
Beane Ct. BN25 30 C4
Belgrave Cres. BN25 31 E2
Belgrave Rd. BN25 30 C4
Belvedere Gdns. BN25 31 F2
Benenden Clo. BN25 31 F3
Berwick Clo. BN25 30 B3
Birling Clo. BN25 30 C3
Bishops Clo. BN25 30 B3
Bishopstone Rd. BN25 30 A2
Blatchington Clo. BN25 31 E3
Blatchington Hill. BN25 30 D3
Blatchington Rd. BN25 30 D4
Blue Haze Av. BN25 31 F3
Bodiam Clo. BN25 31 G3
Bowden Rise. BN25 30 D2
Bracken Rd. BN25 31 F5
Bramber Clo. BN25 31 E5
Bramber La. BN25 30 D5
Bramber Rd. BN25 31 E5
Broad St. BN25 30 D4
Bromley Rd. BN25 31 F3
Brooklyn Rd. BN25 30 D4
Buckingham Clo. BN25 30 D3
Buckland Rd. BN25 31 E5
Buckle By-Pass. BN25 30 B2
Buckle Clo. BN25 30 B3
Buckle Dri. BN25 30 B3
Buckle Rise. BN25 30 B3
Buckthorn Clo. BN25 31 G4
Bydown. BN25 31 F3

Carlton Clo. BN25 30 C3
Carlton Rd. BN25 30 C3
Caroline Clo. BN25 30 C2
Chalvington Clo. BN25 31 E1
Chapel Clo. BN25 30 D3
Charles Clo. BN25 30 D4
Chartwell Clo. BN25 30 C1
Chatham Pl. BN25 30 D5
Chesterton Av. BN25 31 G4
Chesterton Dri. BN25 31 G4
Chichester Clo. BN25 30 D4
Chichester Rd. BN25 30 D4
Church La. BN25 30 D5
Church St. BN25 30 D5
Churchill Rd. BN25 30 C2
Chyngton Av. BN25 31 G3
Chyngton Gdns. BN25 31 G3
Chyngton La. BN25 31 H4
Chyngton La Nth. BN25 31 H4
Chyngton Pl. BN25 31 F5
Chyngton Rd. BN25 31 E5
Chyngton Way. BN25 31 G5
Cinque Ports Way. BN25 31 G3
Claremont Rd. BN25 30 C4
Clementine Av. BN25 30 B2
Cliff Clo. BN25 31 E6
Cliff Gdns. BN25 31 E6
Cliff Rd. BN25 31 E6
Clinton La. BN25 30 D4
Clinton Pl. BN25 30 D4
College Rd. BN25 30 D5
Connaught Rd. BN25 30 D4
Cornfield Clo. BN25 31 E4
Cornfield Rd. BN25 31 E4
Corsica Clo. BN25 31 E6
Corsica Rd. BN25 31 E6
Cradle Hill Ind Est. BN25 31 G2
Cradle Hill Rd. BN25 30 D2
Cricketfield Rd. BN25 30 D5
Crooked La. BN25 30 D5
Crouch La. BN25 30 D5
Crown Hill. BN25 30 D1

Cuckmere Rd. BN25 31 F5

Dane Clo. BN25 30 C5
Dane Rd. BN25 30 C5
Darwall Dri. BN25 31 F5
Deal Av. BN25 31 G2
Dean Rd. BN25 31 E5
Dover Clo. BN25 31 H2
Downs Rd. BN25 31 F4
Downsview Rd. BN25 31 E4
Duchess Dri. BN25 30 D1
Dukes Clo. BN25 30 C2
Dulwich Clo. BN25 31 F3
Dymchurch Clo. BN25 31 G3
Dymock Clo. BN25 31 H3

Earls Clo. BN25 30 B2
East Albany Rd. BN25 31 E4
East Dean Rise. BN25 31 F3
East St. BN25 30 D5
Eastbourne Rd. BN25 31 F4
Edinburgh Rd. BN25 30 C4
Eleanor Clo. BN25 30 C2
Elgin Gdns. BN25 31 H4
Elm Clo. BN25 31 H4
Esher Clo. BN25 31 E3
Esplanade. BN25 30 D5
Etherton Way. BN25 31 F3
Eton Clo. BN25 31 F3

Fairways Clo. BN25 31 G5
Fairways Rd. BN25 31 G5
Farm Clo. BN25 31 G3
Field Clo. BN25 31 G5
Findon Clo. BN25 31 H5
Firle Clo. BN25 31 E5
Firle Dri. BN25 30 D2
Firle Grange. BN25 30 D2
Firle Rd. BN25 30 D2
Fitzgerald Av. BN25 31 E5
Fitzgerald Park. BN25 31 E5
Flint Clo. BN25 30 D1
Folkestone Clo. BN25 31 G2
Foster Clo. BN25 30 D3
Friston Clo. BN25 30 B3

Gerald Rd. BN25 31 E4
Gildredge Rd. BN25 31 E4
Glebe Dri. BN25 30 D4
Grand Avenue. BN25 30 B2
Green La. BN25 30 D5
Green Walk. BN25 31 F5
Greenwell Clo. BN25 31 G3
Grosvenor Rd. BN25 30 C4
Grove Rd. BN25 30 D4
Guardswell Pl. BN25 30 D4

Hamsey La. BN25 31 H5
Harrison Rd. BN25 31 F3
Harrow Clo. BN25 31 F3
Hartfield Rd. BN25 31 E4
Hastings Clo. BN25 31 G2
Haven Brow. BN25 31 F3
Hawth Clo. BN25 30 B3
Hawth Cres. BN25 30 B3
Hawth Gro. BN25 30 B3
Hawth Hill. BN25 30 B3
Hawth Park Rd. BN25 30 B3
Hawth Pl. BN25 30 B3
Hawth Rise. BN25 30 B3
Hawth Way. BN25 30 C4
Hazeldene. BN25 31 F4
Headland Av. BN25 31 E5
Heathfield Rd. BN25 31 E5
High St. BN25 30 D5
Highlands Rd. BN25 31 F3
Hill Rise. BN25 30 B2
Hillside Av. BN25 31 G2
Hindover Cres. BN25 31 F4
Hindover Rd. BN25 31 F3
Holters Way. BN25 30 D2
Homefield Clo. BN25 30 D3
Homefield Rd. BN25 30 D3
Hythe Clo. BN25 31 H3
Hythe Cres. BN25 31 H3
Hythe View. BN25 31 H3

INDUSTRIAL ESTATES:
Cradle Hill Ind Est. BN25 31 G2
Isabel Clo. BN25 30 C2

Jevington Dri. BN25	30 B3	Manor Rd Nth. BN25 31 G4	Place La. BN25 30 D5	Saxon La. BN25 30 D5	The Holt. BN25 30 D2

Jevington Dri. BN25 30 B3
Jubilee Gdns. BN25 31 E2
Juniper Clo. BN25 31 G4

Kammond Av. BN25 31 G2
Katherine Way. BN25 30 C2
Kedale Rd. BN25 30 D3
Kimberley Rd. BN25 30 B4
Kings Ride. BN25 30 C3
Kingsmead. BN25 30 C3
Kingsmead Clo. BN25 30 D3
Kingsmead La. BN25 30 C3
Kingsmead Walk.
  BN25 30 D3
Kingsmead Way.
  BN25 30 D3
Kingston Av. BN25 31 G4
Kingston Clo. BN25 31 G5
Kingston Grn. BN25 31 G4
Kingston Way. BN25 31 G5
Kingsway. BN25 30 C3

Ladycross Clo. BN25 31 G5
Lansdown Rd. BN25 31 G2
Lexden Ct. BN25 31 F3
Lexden Dri. BN25 31 E2
Lexden Dri. BN25 31 F2
Lexden Rd. BN25 31 E1
Lindfield Av. BN25 31 H5
Links Clo. BN25 31 F5
Links Rd. BN25 31 F5
Lions Pl. BN25 31 E5
Lower Drive. BN25 31 E2
Lucinda Way. BN25 31 E2
Lullington Clo. BN25 31 G5

Mallett Clo. BN25 30 D5
Manor Clo. BN25 31 F4
Manor Rd. BN25 31 F4

Manor Rd Nth. BN25 31 G4
Marine Cres. BN25 30 D5
Marine Par. BN25 30 A3
Mark Clo. BN25 31 H5
Martello Rd. BN25 30 D5
Mason Rd. BN25 31 E3
Maurice Rd. BN25 31 E6
May Av. BN25 31 G5
Meadow Way. BN25 31 F4
Meads Rd. BN25 31 E4
Mercread Rd. BN25 30 D5
Middle Furlong. BN25 31 E4
Mill Dri. BN25 31 E4
Millberg Rd. BN25 31 G3
Milldown Rd. BN25 31 E4
Millfield Clo. BN25 31 F3
Monarch Gdns. BN25 31 F2
Morningside Clo.
  BN25 31 E4
Newhaven Rd. BN25 30 A2
Newick Clo. BN25 31 G5
Normansal Clo. BN25 31 E1
Normansal Pk Av.
  BN25 31 E2
North Camp La. BN25 31 E3
North Way. BN25 31 E2
Northcliffe Clo. BN25 31 E3
Northfield Clo. BN25 30 D2

Offham Clo. BN25 31 E2

Park Rd. BN25 30 C4
Parkside Rd. BN25 31 E4
Pelham Rd. BN25 30 D5
Perth Clo. BN25 31 G4
Pevensey Clo. BN25 31 G3
Pinewood Clo. BN25 31 E3
Pitt Dri. BN25 31 E2

Place La. BN25 30 D5
Poynings Clo. BN25 31 G5
Princes Clo. BN25 30 D3
Princess Dri. BN25 30 B2

Quarry La. BN25 31 E3
Queens Park Gdns.
  BN25 30 B4
Queensway. BN25 31 F2

Raymond Clo. BN25 31 F2
Regents Clo. BN25 30 D3
Richington Way. BN25 31 F3
Richmond Rd. BN25 30 D4
Richmond Ter. BN25 30 D4
Ringmer Rd. BN25 30 D5
Rodmell Rd. BN25 31 G5
Roedean Clo. BN25 31 F3
Romney Clo. BN25 31 G4
Rose Walk. BN25 31 E3
Rother Rd. BN25 31 F5
Rough Brow. BN25 31 F3
Rowan Clo. BN25 31 G4
Royal Dri. BN25 30 D1
Rugby Clo. BN25 31 F3
Rye Clo. BN25 31 G3

St Crispians. BN25 30 C4
St Johns Rd. BN25 30 D5
St Peters Clo. BN25 30 D3
St Peters Rd. BN25 30 D3
St Wilfreds Pl. BN25 31 F5
Salisbury Rd. BN25 30 D4
Saltwood Rd. BN25 31 G3
Sandgate Clo. BN25 31 G3
Sandore Clo. BN25 31 F3
Sandore Rd. BN25 31 F3
Sandringham Clo.
  BN25 31 F2

Saxon La. BN25 30 D5
Seafield Clo. BN25 31 G2
Seagrove Way. BN25 31 E1
Sheep Pen La. BN25 31 F4
Sherwood Rise. BN25 31 E3
Sherwood Rd. BN25 30 D3
Short Brow. BN25 31 E3
Silver La. BN25 30 B1
South St. BN25 30 D5
South Way. BN25 31 G6
Southdown Rd. BN25 31 E4
Sovereign Clo. BN25 31 E2
Stafford Rd. BN25 30 D4
Station App. BN25 30 C4
Station Rd. BN25 30 B3
Steyne Clo. BN25 31 E5
Steyne Rd. BN25 30 D5
Steyning Clo. BN25 31 H5
Steyning Rd. BN25 31 H5
Stirling Av. BN25 31 G4
Stirling Clo. BN25 31 G4
Stoke Clo. BN25 31 F4
Stoke Manor Clo.
  BN25 31 G4
Stonewood Clo. BN25 31 H4
Surrey Clo. BN25 30 C3
Surrey Rd. BN25 30 B3
Sutton Av. BN25 31 E5
Sutton Croft La. BN25 30 D5
Sutton Drove. BN25 31 E4
Sutton Park Rd. BN25 30 D4
Sutton Rd. BN25 31 D4
Sycamore Clo. BN25 31 H4

The Boundary. BN25 30 D5
The Byeways. BN25 31 E3
The Causeway. BN25 30 D5
The Close. BN25 31 E5
The Covers. BN25 30 D5

The Holt. BN25 30 D2
The Mews. BN25 31 F3
The Peverels. BN25 31 F2
The Ridgeway. BN25 31 E3
The Ridings. BN25 31 E2
The Shepway. BN25 31 G3
Tudor Clo. BN25 30 C3

Upper Belgrave Rd.
  BN25 30 D3
Upper Chyngton Gdns.
  BN25 31 G3
Upper Sherwood Rd.
  BN25 31 E3

Vale Clo. BN25 31 F3
Vale Rd. BN25 31 E3
Valley Dri. BN25 31 F3
Valley Rise. BN25 31 E3
Vicarage Clo. BN25 31 E4
Victor Clo. BN25 30 C2

Walmer Rd. BN25 31 G4
Warwick Rd. BN25 30 D4
Wellington Pk. BN25 31 F4
Went Hill Pk. BN25 31 F4
West Dean Rise. BN25 31 F3
West St. BN25 30 D5
West View. BN25 30 D5
Westdown Rd. BN25 30 C4
Whiteway Clo. BN25 30 D1
Wilkinson Way. BN25 30 D3
Willow Dri. BN25 31 G4
Wilmington Rd. BN25 30 C4
Winchelsea Clo. BN25 31 G2